這樣吃最健康

揭開食物的真實面紗

姜淑惠醫師

·總序·

活在無病無痛的健康世紀

真正的健康之道，就是全方位提昇生命的能量。

姜淑惠

二十多年前我立志學醫，十五年前正式展開行醫之路，八年前我離開大學講台，轉而以社會大眾做爲醫學教育的對象。

由於醫務工作的轉型，結識更多的朋友及病患，發現他們都在找尋「教人正確飲食的醫師」「專治怪病的醫師」……。此後，詢問如何從飲食、生活及靈修方面來改善染患的重病，或預防方法的人，也就更多了。

我以能眞誠實踐及承擔「眞正的醫者」爲榮，以能助人度過困境爲己任。我感到欣慰的是，愈來愈多民眾覺醒且了解「治療疾病」與「痊癒健康」是截然不同的；生病與排毒看似相類也很不一樣。

大家開始有了承擔自己病痛的勇氣與康復的決心，更重要的是——發現並體驗到「痊癒」的原動力——竟然來自於自己。大家不再迷信藥物，不再依賴醫師，抱怨護士。

原來「**自然清淨的飲食**」+「**良好的生活態度**」+「**豐沛的生命關懷**」，三合一的健康模式就是最好的健康保險。

當我累積了更多健康痊癒的病例後，這些生活中、生命裡的見證與鐵則，使我架構「健康之道」更具遠景、更爲恢弘、更有希望。

醫療最高的境界是什麼？應是「預防」。醫師最崇高的使命又當如何？想必是「教育」，教導民眾如何重建健康。

近五年來，志同道合的夥伴們與我，集資數百萬元，出刊拙著《健康之道》近四十萬冊，但這冊小書深奧難解，內容亦未完備，所以規畫重新編撰，以循序漸進之法，從理論、觀念到飲食調配、食譜製作、日常保健、健康蛻變歷程，竭盡所能，深入淺出，展現其精微之美，不僅易懂易學，且值得動心動手。

一生當中，能眞正做出一點有意義的事情，俯仰天地無所愧疚是値得的。

我從「病從口入」的棒喝中，體悟飲食改革的眞諦與奧妙，進而推衍出一套可以自覺、自察、自療、自癒的健康法則，諸如「新世紀的健康觀」「最正確的營養觀」「防治癌症的祕訣」「體質改善的下手處」……

二十世紀是重視科技文明，講求效率的世紀，回首百年歷史滄桑，人與環境都病得很沈重，我們幾乎嗅不到，也找不到眞正健康的人。

展望未來，生存的契機與生命的內涵，應著眼在哪兒？只有擁有健康，體認健康的眞諦，其它財富、名位、理想、抱負……等才會變得有意義。

所以二十一世紀的願景是什麼?是——「重建健康的世紀」。

隨著地球村的來臨，健康的界定，既深且廣，廣如生物界環境的平衡，深如身心靈性整體的康復。唯有對健康更明確體認及自我把握，二十一世紀才有希望，才能更健康。

我們竭誠製作這一系列「健康之道」的叢書，其中涵容的道理，寬廣深遠，從生到死，從醒到睡，從靜到動，從早安到晚安，從一念到一言一行，斑斑可考。換言之，如何能在這一生中圓滿無憾、無畏、無懼，光明磊落，利己利人利天下。

但願它能成爲人人的健康手冊，參考典籍，傳家寶典，國民健康教育的最佳教材。

古埃及的金字塔會受到歲月的摧折，
但我們心中建立起來的金字塔卻是屹立不搖的。
如果自己提昇到一個高的能量，
這個能量又能吸附很多能量，
這就是一種改造。
我們要實踐下去，
影響家人、朋友，關懷大環境，
這是不可漠視的力量。

目錄 C·O·N·T·E·N·T·S

目錄 CONTENTS

目錄 CONTENTS

健康的實踐 203

好好觀照你自己

健康的建立，
在平時的自我覺察。
疾病的治療，
不可迷信藥物，
必須是全面性的。

身心靈都要健康

健康是生命的泉源，有了健康，才能開創一切。

假設用數字表示，健康就是「1」，學業、事業、生活、財富、藝術……等就是「1」後面加上的「0」。如果說徒然擁有許多「0」，卻沒有「1」，那麼一切都是枉然。

所謂的健康，不僅代表身體(Body)層面，更應拓展至心理(Mind)及靈性(Spirits)更高的境界。

身體是最基本的，心理是指內心的世界，靈性則屬於更高層次的問題，必須三個部分都能等量而觀，三者都能互相照應，才是真正的健康。

一個人看起來非常強壯、無病、血氣充足，表示他身體這個部分很健康，但是心理健康與否，就要深入內在的世界才能夠了解。更高層次的靈性就更不簡單了，這是因爲靈性的世界需要深度的智慧來開啓。如何令身心靈健康三個層次整體調和，深信是二十一世紀醫學及全人類共同奮鬥的目標。

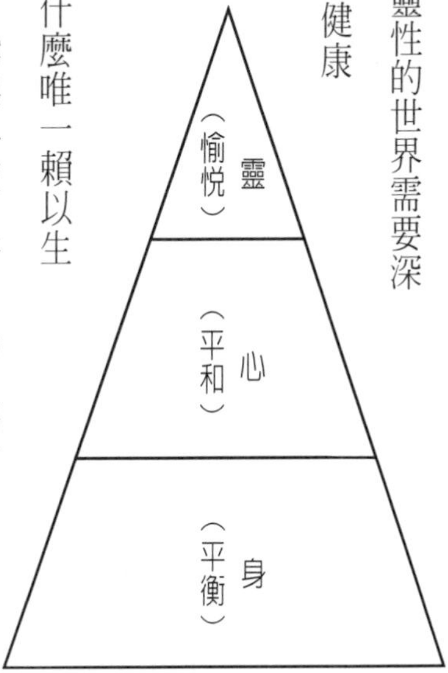

在人類愈趨文明進步後，爲什麼唯一賴以生存的地球生態環境，卻愈趨破壞？醫學科技日新月異，爲什麼人類的病痛卻有增無減？爲政者、習醫者、患病者，都應好好正視這個問題，正視健康維護的重要。

除了要不斷增添醫療設備外，應從教育，杜絕不當飲食習慣，樹立正確健康觀念，改善生活環境，這些根本的地方著手。

健康的維護，建立在個人的認知，有句話說：「預防勝於治療」，預防是最重要、最根本的觀念，它不是口號，應當落實到人人的身上。

此外，健康還必須靠自救自濟，這是最有效、最保險的方法。重建健康的原動力在於自己，不能依靠任何人。它必須靠自行、自察、自覺，自己去達成、自己去實踐。

本書所談的健康和醫院裡實行的不太一樣，醫院通常是病得厲害我們才去看病，而本書則更加強調「如何來預防」。

從生物能量學的觀點來說，健康是個體處於高能量的狀態，疾病是能量下降的表現，所以隨著疾病愈趨嚴重，整體能量也會跟著驟減。當完全失去生命能量時，就表示死亡來臨了。

從生物化學觀點來說，健康代表平衡，包括酸鹼平衡、氣血調和、陰陽協調，各種系統均能相互調節，發揮互助互制的功能。反過來說，不健康是生物體從最初輕微的癥候，逐漸發展成定型的疾病，也就是所謂的慢性、退化性病症，而無法恢復，無法痊癒；或者快速進展成惡性病變、急性危症等，一直到死去。

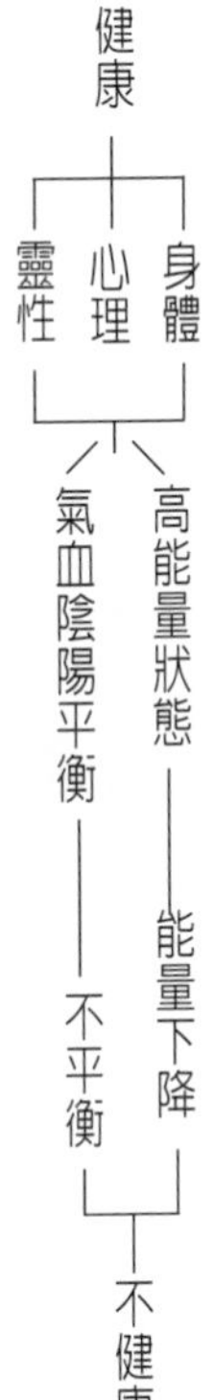

疾病如何形成

造成現代疾病的三個原因

第一是「酸質化」。身體的酸質化是不能分解的蛋白質，以及高酸性的物質攝取太多，導致而成的。在生化學上是說我們的細胞、我們的組織、我們的淋巴，已整個浸泡在酸性環境裡，所以，長久下去一定會生病。

第二是「缺乏症」。這是指身體功能運作缺乏某些物質，經過長期的偏差，疾病產生，功能失調。像上班族回家後就會感覺到累得要命，怎麼睡也睡不飽，體能特別的差，就是一例。

有些人到醫院問：我到底缺了什麼啊？處處檢查，想要知道缺少什麼東西，想要補足什麼。但是，仍舊找不到答案。醫護人員頂多告訴他：你缺乏維他命。因此，他吃了些維他命丸。而有的醫護人員告訴他：你缺乏運動。於是，他又開始運動了。不過嘗試了各種方法之後，他們的體能依舊不能發揮出來。

爲了喚回這些失去的東西，最好的方法就是從飲食、生活回歸自然化。

向自然學習，就是找回缺陷、補足缺陷。讓你的生活、食物烹調及選擇，都極近自然、學習自然，這樣你就會恢復應有的健康，補足不足的部分。

第三是「壓力」。這是指來自生活環境給予身心內外的無形壓力。壓力也就是不自在。所謂的「自在」就是自己做得了主，自己可以做自己的主人。

可是自在並不是領導或控制，就像一國的國王，他可以控制所有人民，但他如果不能控制自己，他依舊不是王，依舊不得自在。「自在」是自己能降伏自己的心。壓力對荷爾蒙的調和、血壓的高低、心臟及身體的其他內臟都會有很大的影響。

對內的壓力有時候不會外發出來，於是埋下癌病變的因子。例如得肺癌的人，一般都是對事物要求完美，預想今年再拚什麼成績，再有什麼計畫，他們整天拚命於事業，永遠有做不完的工作，當然肺部就癌化了。

肝癌的人則是愛生氣，想不開，什麼事都要追求百分之百的完美。事情做不完就不睡覺，事情不辦好就生暗氣，一天二十四小時當做七十二小時來用。

其它很多心情的變化，也會產生壓力。

現代社會，事業、工作、家庭各方面，都直接間接的有很多壓力。這些壓力造成細胞的變化，心情不穩定，影響身體的神經肌肉系統、體質以及免疫力，並使能量降低。在能量降低以後，常常又會表現出很多不調和的現象。這就表示，內外的毒素慢慢累積，愈來愈多。

另外，在大氣裡頭，有很多放射線素、放射線物質，我們的飲食也遭受到放射線污染的壓力，所以放射線有形、無形對我們身心也造成很多影響。

在免疫醫學上，已經知道壓力會有形的破壞我們的淋巴細胞，造成我們免疫力很明顯的下降。積久之後，自然我們的抵抗力就弱了，就生病了。

因此，酸性體質、缺乏症、壓力，三個問題交錯之後，形成我們現代的疾病。如果我們能從這三方面去破解，就能恢復健康。

酸性化的體質很容易矯正，只要飲食協調，就可以從酸性體質變成健康的弱鹼性。

而缺乏症，只要採取自然飲食，再加上部分生食，不要全部熟食，則可以從自然的食物中找回缺乏的物質。我們從自然中取得食物，不要去破壞它，久而久之缺乏的東西都能補足勻稱，身體會恢復正常。

至於壓力不論是外來的或內生的，它主要是壓在心上。我們要把心解放，把心解開，我們要在外在環境壓迫之下懂得安然自處。

調整壓力著重在調適我們的心，如果心病了，百病就會叢生。所以，只懂得「吃」沒有用，即使吃進來的是很多健康食物，但是「心」如果病了，依舊會承載著很大的壓力。然而心的問題，可以透過精神領域的薰修，讓纏縛在心的繩索得到一個解脫的方法。

如果你把握這三個原則：讓我們的身體不要日漸進入酸性化；懂得生活、飲食、起居，身心都向自然學習；好好爲承受在我們身心上的壓力，找到良性的解決辦法。那麼萬病都可以解決。

相信慢慢大家都會知道，這是眞理！

爲什麼我會有這樣大的信心跟果斷力？因爲，有太多太多的病人，用了這個方法，自然而然就好了！哪怕是最複雜的癌症，或瀕臨精神分裂的人，都可以恢復，表示這的確是個眞理。

疾病形成的三個原因
- 酸化體質（Acid）
- 缺乏、失衡（Deficiency）
- 壓力塡心（Stress）

疾病形成的三個步驟

疾病的形成，絕非無中生有，任何疾病的產生都有三個階段。

最初是不平衡的時期，其次爲毒素的累積及不正常的分泌，最後則是爲眞實疾病的形成。

病徵三步曲（箭頭以下為破解方法）

- 第一步：不平衡→均衡自然飲食……
- 第二步：堆積及分泌→均衡自然飲食＋內在清除法……
- 第三步：內在疾病的形成→均衡自然飲食＋內在清除法＋靈性修持……

回歸健康

★第一步：不平衡

幾乎所有疾病的根源都是來自於「不平衡」，因此自我的檢視極爲重要。如果我們還年輕，身體的一點不平衡現象，反倒可以很快平復，又歸於健康。

如果失衡現象較爲嚴重，則這些不平衡會持續出現，反覆發生，好像身體的警報、自我保衛裝置。

如果此刻我們依舊忽略，未加以覺察，或只是症狀治療，用一些止痛藥、消炎藥、腸胃藥而已，這些無疑是消極的關閉了身體的警報系統。就像發生火災，警鈴已響，而我們卻不去救火，只是把警鈴關掉、只求不想聽到警鈴聲，但經過一段時間，一定會釀成大災變。

因此，我們認識並熟識「不平衡指標」，便是掌握自我身體，自我預防及自我調理。

什麼是不平衡的指標？

1中度疲倦感。

2精神緊張，健忘，頭腦不清楚，無法自我放鬆。

3頭痛，肌肉緊張，局部麻木，抽痛，攣縮。

4食量突然增加，腸胃消化不良，特別喜歡甜食、高鈉食物。

5全身或局部發癢。

6有時咳嗽或打噴嚏。

7自己感受到潮熱、潮紅或畏寒。

8易出意外狀況，不安感、挫折感，心情鬱悶。

9體重不正常增加。

第一個階段不平衡現象的警訊，顯示身體脂肪、甜食、鹽分攝取太多，纖維質攝取不足，因此只要在飲食上妥善調整，就可以恢復平衡，得到健康。

如果聽任這些不平衡現象，依舊攝取不當飲食，身體必然要格外賣力去清除過多的毒素、壓力與廢物，然後經由小便排尿、粘膜分泌粘液、咳嗽、陰道分泌物、做夢等等管道排泄疏解，以達到它的平衡。

這些負責排泄的器官，如果負擔過度，功能會開始減弱，例如腸道不通、便祕、腹瀉、血管硬化狹窄、汗腺阻塞發癢、起疹、情緒不安穩、易動怒及失眠，進而全體免疫系統失調，進入第二個階段。

★第二步：廢物堆積及不正常分泌

走到這個階段，表示第一個階段的不平衡警告被忽略了。

第一階段的不平衡現象就像翹翹板，一邊老是低，一邊老是高，後來愈偏愈多，低的愈來愈低，高的愈來愈高。也就是說身體裡來自壓力、情緒或食物殘留下來的毒物排泄不出去，身體很拚命地排除，造成分泌物增加。

流鼻水、感冒、汗臭、狐臭，嘔酸、白帶多，或早上起來一直打哈欠、打噴嚏，遇到特別的事情就哮喘，皮膚癢得不得了，過敏等，這些都是應該要排除掉的東西排不出去，排泄的管道有障礙。

進入第二個階段有的人會口乾舌燥、氣喘，有鼻竇炎的會打噴嚏，或有些人皮膚過敏起紅疹、女性的經期不調，以及有些人會常常關節痛、腫脹等。到了這個時候，毒素已經愈來愈多，等到可以發出來時，就會從皮膚或任何一個孔竅——眼睛、鼻子、嘴巴或藉著糞便排出的方式，跑出來。

大家會不會一天到晚容易感冒？其實感冒並不是病菌來招惹我們，想想爲什麼別人不感冒，獨獨你一個人感冒？

這是因爲我們身體裡頭累積了太多廢物，受不住了，想趕快找出口，一找到機會就往外衝，因此我們也就一天到晚打噴嚏、咳嗽，排出很多的分泌物。

只可惜我們治療的方法顚倒了，一有咳嗽或分泌物就趕快買止咳藥壓住。我以爲它要出來，應該因勢利導，才能把這些廢物清除掉。

所以，感冒代表身體有這種「自己想要清除它自己內在毒素」的能力，感冒並不是細菌來找我們麻煩，不要老是要求醫生開抗生素、止咳藥、止流鼻水的藥，那是害自己。

感冒是一種警示，表示分泌物太多。一個健康的人，當他很平衡時，就沒有這些過多的煩惱，即使有，他很快就將它們清除掉。會感冒的人容易罹患疾病，避免罹患疾病的方法只有兩條：減少毒素堆積和增加排泄；減少毒素堆積就是預防，增加排泄就是排毒。

從第二個階段要恢復健康，最簡易且有效的方法，莫若簡化、淨化飲食。就是說主要以均衡飲食、高纖維、低油脂、不含人工添加劑、低鹽食物等，再配合內在清除法(inner cleansing)，恢復健康。

我有一個朋友，他有三十五年至四十年的狐臭。我告訴他：狐臭代表肝的去毒能力出了問題。他說：我到醫院檢查都很正常，你怎麼說我的肝去毒能力有問題？我教他應該怎麼淨化他的飲食，他好高興，實行不到三個月，他身上近四十年的狐臭治癒了。

沒有吃藥，就只是好好的吃、排毒，再加上修持，不殺害眾生，不將臭熏熏的眾生肉放入我們的肚子裡，把我們的五臟六腑當成停屍間。我告訴他：動物吃葷，我們再吃牠們，就等於把眾生的屍體放入我們的胃腸裡頭，所以發出來的臭味不得了。

第二階段，是因爲身體裡面這些不平衡的東西，一時之間調不過來，要趕緊排出去。就像我們有垃圾，不是要往外丟嗎？丟到哪裡？皮膚和關節就是最常見的地方，所以皮膚與關節肌肉的毛病，也是門診最常見的病例。我們是環保的尖兵，要把自己製造的垃圾消化掉，自己做環保。

將自己的垃圾好好處理就不會發生意外，就能夠自由自在，清淨安詳。其它如情緒上焦慮、恐懼、發怒、情緒不穩、雜亂、吵鬧，這些也不能往外倒，倒出去會變成各種病，那時候疾病就眞的形成了。晚上睡覺不安寧，容易做夢，常常要靠安眠藥才睡得著，這都是身體已經進入第二階段了，而可怕的第三階段很快就會到來。

第二階段——廢物堆積及不正常分泌的指標

1呼吸時有異味，身體有異味（體臭），口苦咽乾。

2鼻竇充血腫脹，反覆咳嗽、打噴嚏，經常感冒、氣喘。

3皮膚呈現乾燥或多油膩，易起紅疹，過敏。

4身體過熱，容易出汗，手足潮濕。

5打嗝脹氣，便祕，腹瀉，嘔吐。

6女性月經痛，陰道分泌物異常，反覆不斷發炎。

7反覆頭痛，肌肉關節、脊柱僵硬疼痛，慢性背痛。

8頻尿（尿色淺淡），乏尿（尿色深紅），刺痛，四肢腫脹。

9嚴重焦慮，頹喪，恐懼，易怒，情緒不穩定，狂鬧。

10肥胖，高血脂，高血壓，高尿酸，血糖偏高。

11易出意外。

12夜臥不安寧。

★第三步：疾病形成

第三個階段：固定的疾病已經形成，有著特定的名詞，例如高血壓、糖尿病、關節炎。

通常關節開始只是脹、痛、硬、痠、麻、軟，還不至於腫、燙、熱、不能動、骨頭被破壞。前者稱爲「關節痠痛」，後者就是「關節炎」。

所以要把握這個時間趕快回到健康的狀態。假設不慎已經走上疾病之路，通常大家會找醫生透過醫療來幫忙。但是，醫療往往是愈幫愈忙，除非醫生與你自己能夠體會疾病的變化。

在我們的醫療體系裡，我這種說法被視爲異類，因爲光講健康觀念，光講教育民眾，並不會替醫院賺錢。

希望大家不要走到疾病這條路上去，因爲走到這裡來，苦不堪言，對我們醫師來講也是費盡了心思，難過的是，有的還挽回不了，只能看著他走，看著他生病，看著他受苦。

這些就像癌症、尿毒症、肝硬化、糖尿病的併發症、心臟衰竭、呼吸衰竭，以及很多加護病房裡急迫的病。

急迫的病也不是一下子發生的，像心臟痲痹雖然是猝死，但是死亡絕對有原因，只是它來得很快，我們來不及救治罷了。

第三階段——疾病形成常見情況

1 慢性消化不良，飲食不正常，進食困難，潰瘍。

2 關節炎，骨質疏鬆症，痛風，退化性關節炎。

3偏頭痛，長期習慣性頭痛。
4白內障，聽力障礙，記憶力喪失。
5失眠，精神萎靡不振。
6不孕症，性生活障礙。
7糖尿病。
8持續性感染，疱疹發作。
9腎或膽結石，腎臟病。
10躁鬱症，歇斯底里症，精神分裂症。
11癌症（各種癌病變）。
12心臟血管疾病（心肌梗塞，腦中風，高血壓）。
13其它退化性疾病，免疫系統紊亂疾病，不明熱。
14成藥影響肝臟及腎臟的病變。

倘若不幸進入了第三階段，也不可輕言放棄，因爲更嚴格的飲食治療、內在清除療法、運動、適當藥物療法、心理及靈性層次的調整、用功，均可收到意想不到的效果。

臨床上，我們執行醫療時，倘若病患能夠虛心接受，堅定信心，持之以恒的配合正確的飲食療法，杜絕有害的食物，改變不當的烹調方式，就是再嚴重的疾病，也有很奇妙的轉機。進而再酌量加以適當的藥物療法，心理建設及靈性支持，從死亡邊緣挽回的病例，屢見不鮮。

健康的建立，在平時的自我覺察。疾病的治療，不可迷信藥物，必須是全面性的。

如何分辨食物的優劣？

你知道食物有多少種類？
健康自然的食物又該怎麼吃？
健康的原則是什麼？
以下的飲食觀，會使你的身體淨化，
產生不可思議的力量。

我有一個病人患了八年的鼻咽癌，在台灣各大醫院做過放射線治療，也動過開刀手術。等到她完成兩個月的療程以後，很不幸地發現耳朵失聰了，從那時候開始，她掛上了助聽器。

她來找我，我告訴她：妳找錯科了，這裡不是耳鼻喉科。她說：我不是要看耳鼻喉科，我也沒有寄望耳朵能夠恢復聽覺，我是希望從飲食來改良病況。

於是，我們討論了一陣子，教她回家履行，請她一個月之後再來討論實行的成果與心得。

她是一位家庭主婦，沒有念過多少書，但是她是一位實踐家。

第三個星期她要求一定要來看我，我不便堅持，於是答應她前來。

我原以爲她有什麼很大的病需要提早來看，結果她喜孜孜地滿臉笑容問我：姜醫師，您看我有什麼不一樣？「我看不出來！」「您看！我不必掛助聽器了！」我才知道，她助聽器掛了八年，透過自然的飲食，只歷經兩星期的時間，就見效了。

她在家裡孤軍奮鬥，因爲她先生看她採用「食物的鑽石組合」（請參閱本書第一百二十頁）飲食法，很不以爲然。但是她很勇敢。她採用這種飲食方法的第二個星期，突然覺得耳朵內有很大的震動，好像在耳膜上打鼓一樣。到了第三個星期，她就聽得到了。這不是奇蹟，這是事實。從此，她不必再掛助聽器。

這個事實給我們很大的信心。在這個時代，我們可以不要做一個迷迷茫茫的人，當我們把食物送到口中的時候，就奠定了健康的基礎。因此，我們可以選擇健康，也可以選擇不健康；可以選擇疾病，也可以選擇自在過一生。這是一個很自主的行動，很自主的決定。

健康的最高目標就是均衡且個體能處於高能量狀態。達成這個目標的方法，雖然見仁見智，但是共同點，首先要確認——「病從口入」這個事實，由此說明適當飲食的重要。

西方古醫哲希波克拉提斯有句名言：食物是最好的醫藥。合乎健康的飲食，攝取了，是最好的妙藥；不合乎健康的飲食，攝取了，則是最毒的毒藥。

有許多證據顯示，人類頭號大敵——癌症，它致癌的因素，百分之七十至八十，源自不當的飲食。我們到處可以見到爲自己權益受損自救的抗爭，卻少見爲我們身體健康的權益，爭取最適當、最乾淨的食物、飲水及空氣的人。大家好像醉生夢死地把現代許多有毒的食物，一口一口送入我們的身體內。

我們的生命仰賴食物的維繫，食物對於我們整體身心的健康，提供了重要能量資源。適當而均衡的食物，猶如品質極佳的汽油，不但提供高效率的能量，而且不會傷及身體器官零件。

相對地，不適當而錯誤地調配，猶如汽車燃燒煤油，不但效能差，而且殃及身體各部分器官，導致疾病生成。

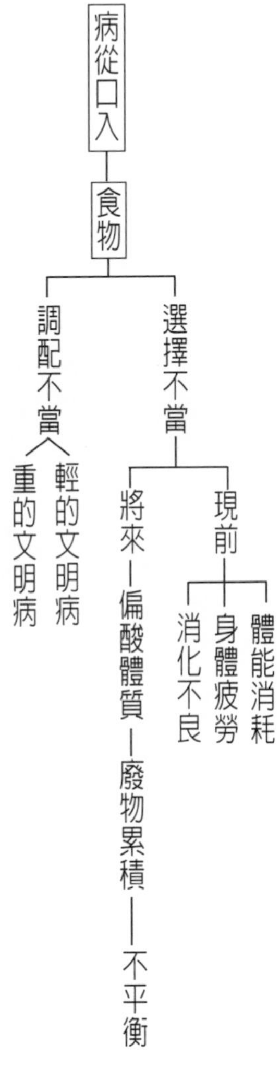

食物的四大分類法

你知道食物有多少種類？如何選擇均衡的飲食？

一般人大概都知道食物分爲五大類：碳水化合物，蛋白質，脂肪，維生素，礦物質。這是一般的分類。在此，介紹給大家的是另外四種不同的分類。爲什麼要用這種分類法，而不用普通營養專家告訴我們的五大分類法呢？

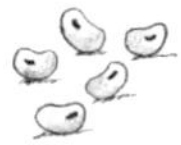

我有一個比喻，是這麼說的：若要認識人，可依性別區分爲男人、

女人；或依種族膚色區分爲黃種人、白種人、黑人等。關於人的進一步內在含意，善惡、賢愚等等，並不能依此分類顯現出來。

食物也一樣，如果我們習慣於五大分類，食物裡面的好壞、優劣、適不適合我們，我們全然不知。

分類能夠讓我們客觀地認識各種食物的特性，知道食物的眞實面目，使我們把五大類食物的面紗打開，重新眞正認識食物的本質。

認識它之後，我們就能夠眞正的抉擇最適當、最實在、最合乎我們所需營養的食物。

結合古今中外智慧者、科學家、實踐者的認知，我們可由四個方面來認識食物的種類。簡列如下：

第一類食物：悦性食物、變性食物、惰性食物

第二類食物：酸性食物、鹼性食物

第三類食物：高壓力性食物、低壓力性食物
第四類食物：陽性食物、陰性食物

第一類食物：悅性食物、變性食物、惰性食物

飲食影響健康是不爭的事實，但飲食還能影響心理及靈性，遠在古文明的中國及印度聖哲就有這種理念。他們對食物有極廣泛、深入的研究與生活體驗，所以把食物在身體層面的反應，提昇至更高的層次，由單純地供給生理需求的傳統觀念，進展到食物對人類心靈發展的深度影響。

西方科學家或現代醫學生理學家，近百年來才開始試圖了解數千年前早已爲聖哲耳熟能詳的眞理，當然還有許多觀點，截至目前高科技文明，尚未能證實。

如最常見的大蒜，自古以來在食物歸屬上，屬於惰性食物，因它有

害於身體及心靈的健康。雖然現代醫學科技研究指出，它有非常神奇的妙用，可以殺菌、降血壓、清除血脂肪及能夠防癌，但它增加胃酸分泌，造成或加重胃及十二指腸潰瘍，卻也是不爭的事實。另外，大蒜的刺激性，還會傷害微細的組織，例如使淚腺分泌增加——流眼淚，擾亂神經及心靈的安定。

近代醫學科學實驗研究顯示：食物會直接參與腦部的工作。發現藉著所謂的神經傳導介質（Neurotransmitter）的化學性作用，可以參與心智及生理的功能，包括：記憶、睡眠、運動的協調性、疼痛感受、情緒變動、學習能力，甚至有關事實眞理的認知等腦部高級中樞的作用。

譬如我們日常食用的大豆，含有豐富的卵磷脂（Lecithin），這種物質主要參與記憶力的執行。又如我們選擇含高量的碳水化合物及不完整蛋白質（欠缺必需氨基酸），就會使我們的腦部陷入昏沈數小時之久。這是因爲食用含量高的碳水化合物後，會刺激胰臟分泌胰島素，胰島素本身又會轉變增加腦內部的血清素含量。較多的血清素，會讓我們呈現放鬆、安寧，甚至昏睡狀態。

如果食物中含有較多的酥胺酸（Tyrosine），當它進入腦部後，會促進腎上腺素（Norepinephrine）的形成，它是一種令人思考敏銳，反應靈動的神經傳導介質。而精神分裂症則與攝取過多的阿金氨基酸（Arginine）有關。

數千年前，古印度的聖哲，已能體驗食物對身心有極重要的影響。藉著他們深入的內在檢視，讓我們了解到宇宙的自然規律。猶如愛因斯坦的發現：宇宙的整體表現是一種律動，它包括能量的振動及心智的律動。

在宇宙中，含有各類的波動，如光波、聲波、腦波、思想波。雖然它們有千差萬別的現象，卻具有一種單純的形式——頻率。所有食物也以它們各自精微的律動，在不同的頻率波動中發揮作用，當人們攝取時，藉此影響人們的身體及心靈。

★悅性食物——宇宙間最高的能量——優等食物

要健康就要攝取高能量的東西。

高能量的東西攝取進來，我們會覺得非常舒適喜悅。

悅性食物能生成最高生命能量，它表現出來的就是對自我的肯定、認識、自律、祥和以及喜悅。這種力量特別表現在我們的心靈境界中，對宇宙人生則表達出穩定、平靜、寬恕、放鬆，且不易受到外在環境的影響，能時刻保存在極高的能階及心靈的高層次境界中。

悅性食物，極易消化，在體內不易堆積尿酸及毒素。

這類理想的食物，包括所有的水果、穀類、大部分的蔬菜（除了洋蔥、蒜、韭、菇類外）、豆類、堅果類、所有溫和的天然香料，及適度的綠茶、草藥。

食用悅性食物者，通常都是長壽，不易衰老，保有充沛活力，很少

罹患疾病。他們身體健康，強壯又無病，自然心情爽快、祥和，充滿喜悅。

★變性食物——變性力量——中等食物

所謂「變」，就是它能夠變好也能夠變壞，在宇宙中存在著比較中等的能量，力量所及會造成不安的動作及情緒。

在心靈上，會使人傾向激動、神經質、不安定、自我無法控制及不能安定放鬆。它會刺激攝取者的身體及心靈產生變動，因此取用這類食物，應酌量使用，才不至於使心靈受到刺激而變動不安。

屬於這類食物包括咖啡，濃茶，強烈的調味料，可可，巧克力，醬油，可樂，含碳酸的飲料等等。例如濃茶中的咖啡因、單寧酸含量過高，有時候會讓我們中了茶毒。濃茶一喝，心跳很快，自律神經不穩定，有的人甚至會嘔酸嘔吐。

咖啡、紅茶、可樂、巧克力都是變性食物，吃多了會讓我們太積極，好鬥——鬥嘴、鬥爭、鬥性、鬥事，心理安定不下來。

★惰性食物——惰鈍力量——劣等食物

惰性食物是最劣等的，站在能量的提供上，它提供給我們的是最低的等級。這類食物包括肉類、魚類、蛋類、洋蔥、大蒜、菇類、菸、酒、味精、麻醉藥品等。

陳舊腐敗的食物或放置太久的食物，均屬於惰性食物。它會讓我們的身體、心靈完全受到支配，出現懶散、粗魯、愚笨、缺乏耐力、仇恨、昏昧、不安，以及缺乏生命力與開創力。身體機能上也容易出現倦怠，抵抗力、免疫力衰退的情形，所以我們會經常生病。

有一回我到台北監獄看診，前後兩個鐘頭，從能夠在外面自由走動的病人，看到在裡面完全限制行動不能出來的重犯（死刑犯之類），每個病人所抱怨的都是：「我很累！」我問：「是不是典獄長要你們做很勞累的工作？」「沒有呀！吃飽睡、睡飽吃。」

吃飽睡、睡飽吃的人會累嗎？剛好那時候四點半，晚餐送來了，我一看，全部都是惰性食物，難怪會累，難怪心情不能穩定，難怪有越獄、有反抗心理。

所以，我很希望學校的校長、單位的主管、決策單位，甚至總統，都認識健康的食物，因爲他們一聲令下，舉國上下的健康就繫在他們手裡。政策如果能夠改變，許多事情就迎刃而解。

如果學校、慢性醫院、監獄、精神病院能普遍推廣這類健康食物，並且嘗試及改革，一定會有始料不及的效果。

我鄭重推薦，如果你要提昇你的能量，一定要多加攝取悅性食物，酌量減少變性食物，斷絕掉惰性食物，如此就能夠朝向健康之道邁進。

悅性食物——最高能量——優等食物（應取）

變性食物——變動不安——中等食物（漸減）

惰性食物——惰鈍衰退——劣等食物（應捨）

第二類食物：酸性食物、鹼性食物

在自然健康的狀態，我們身體應當呈現弱鹼性，也就是血液酸鹼度(PH值)在七．四左右。

當身體處此弱鹼狀態時，體內極爲複雜的各種生化作用均可以發揮極至。所有廢物的排除，也能快速且徹底，不會累積在體內。

相反地，如果攝取太多酸性食物，導致身體及血液轉成偏酸性，久而久之，會導致器官衰竭，而衍生各種疾病。

我曾經有一個病例，患者是一位二十二歲即將自大學畢業的年輕人。他因爲鼻塞、感冒、流鼻血住院，經檢查確定爲惡性淋巴瘤。在他住院期間，他的餐飲必備炸雞腿，否則無法進餐。

這位病人四年求學期間，每日早餐漢堡一份、可樂一杯，中晚餐均需一隻炸雞腿。而這種飲食方式已經達四年之久了。他的父母均很疑惑，原本活潑健康的孩子，怎麼會驟然罹患絕症？殊不知，他平日攝取過量的酸性食物，身體長期處於酸化狀態，導致淨化血液器官之一的淋巴造血循環系統，負荷過度而崩潰，釀成癌化。

無窮無盡的疾病，論及它們治療的根本理念，在於恢復生命體的本來面目——弱鹼性。藉著盡量減少酸性食物的攝取，增加鹼性食物的質與量，使生命體回歸到弱鹼性狀態，一切問題自然迎刃而解。

★分析食物的酸鹼性

食物酸鹼性的測定，並不是用舌頭、味覺來品嘗判定是酸是澀，也不是以石蕊試紙看它顏色的改變來判定的。

食物的酸鹼性，決定於食物中所含的礦物質種類，及含量多寡比例而定。

營養醫學上，判定食物的酸鹼性，是將食物經過燃燒，燒成灰質，再取出以水溶解，滴定它的酸鹼度。食物經由胃的消化、吸收，是一連串燃燒的過程，而體內燃燒與空氣中燃燒，幾乎是相似狀態，所以用這個方法模擬檢定出食物的酸鹼性。

必要礦物質中，與食物酸鹼性有密切關係的共有八種：鉀、鈉、鈣、鎂、鐵、磷、氯、硫。前五種進入人體之後，呈現鹼性；後三種，進入人體後，呈現酸性。

為什麼醋及酸味果汁，舌頭嘗了會感到酸味，試紙測定也呈酸性，但到了體內反而不是酸性的呢？

食用醋及酸味的水果，含有有機酸的成分，如醋酸、蘋果酸、檸檬酸等，進入體內吸收後，胰液、膽汁、腸液就以碳酸中和，再被肝臟吸收，很快燃燒成二氧化碳（CO_2），對人體幾乎沒有影響。所以它的味道雖然酸，卻不列入酸性食物。

而檸檬、橘子、醋等食物，它的有機酸被分解後，留下許多礦物質如鉀、鈉、鈣、鎂等，反而顯出鹼性反應。

分析食物的酸鹼性後，可以得到以下幾項特點：

1大部分動物性食物，屬酸性食物。

2大多數穀類、部分堅果類，屬於酸性食物，它們為人類的能量來源。

3鹼性食物包括多數蔬菜類、水果類、海藻類。換言之，低熱量的植物性食物，幾乎都是鹼性食品。

4除了認識哪一種食物是酸性，哪一種食物是鹼性以外，對於食物酸鹼性的程度（或稱強弱度），也應有所認識。例如吃了許多高酸度的食物，身體會偏酸，應以其它高鹼性食物調和。

日本西崎弘太郎博士，在食物酸鹼性鑑定上，有很深的研究，請參考下表——食品酸鹼性度表。

食品酸鹼性度表

酸性食品				鹼性食品			
食品	酸度	食品	酸度	食品	鹼度	食品	鹼度
乳製品、雞蛋		醬油	0	**乳・雞蛋**		洋蔥	1.7
蛋黃	19.2	**蔬菜類**		蛋白	3.2	**菇類**	
乳酪	4.3	慈菇	1.7	人乳	0.5	香菇	17.5
魚貝類		白蘆荀	0.1	牛乳	0.2	松茸	6.4
鰹魚片	37.1	**海藻類**		**豆・豆製品**		玉蕈	3.7
鯛魚卵	29.8	紫菜(乾燥)	5.3	扁豆	1.8	**海藻類**	
魷魚	29.6	**穀物**		大豆	10.2	裙帶菜	260.8
小魚干	24.0	米糠	85.2	紅豆	7.3	海帶	40.0
鮪魚	15.3	麥糠	36.4	豌豆夾	1.1	**醬菜**	
章魚	12.8	燕麥	17.8	豆腐	0.1	黃蘿蔔	5.0
鯉魚	8.8	胚芽米	15.5	**蔬菜**		什錦醬菜	1.3
鯛	8.6	碎麥	9.9	蒟蒻粉	56.2	(福神菜)	
牡蠣	8.0	蕎麥粉	7.7	紅薑	21.1	**水果類**	
生鮭魚	7.9	白米	4.3	菠菜	15.6	香蕉	8.8
鰻	7.5	大麥	3.5	擷菜	10.6	栗子	8.3
蛤蜊	7.5	麵粉	3.0	芋	7.7	草莓	5.6
干貝	6.6	麩	3.0	萵苣	7.2	橘子	3.6
魚卵	5.4	麵包	0.6	紅蘿蔔	6.4	蘋果	3.4
泥鰍	5.3	**嗜好品**		小松菜	6.4	柿	2.7
鮑魚	3.6	酒糟	12.1	京菜	6.2	梨	2.6
蝦	3.2	啤酒	1.1	百合	6.2	葡萄	2.3
肉類		清酒	0.5	三葉菜	5.8	西瓜	2.1
雞肉	10.4	**油脂**		馬鈴薯	5.4	**嗜好品**	
馬肉	6.6	奶油	0.4	牛蒡	5.1	葡萄酒	2.4
豬肉	6.2			高麗菜	4.9	咖啡	1.9
牛肉	5.0			蘿蔔	4.6	茶	1.6
雞肉湯	0.6			南瓜	4.4		
豆類				竹筍	4.3		
落花生	5.4			地瓜	4.3		
蠶豆	4.4			蕪	4.2		
豌豆	2.5			小芋	4.1		
油炸豆腐	0.5			蓮藕	3.8		
略炸豆腐	0.2			大黃瓜	2.2		
味噌	0			茄子	1.9		

註：摘自日本西崎弘太郎博士的測定報告。

★酸鹼食物的取捨

我們自我檢查，如果平日有消化不良或健康狀況不佳的情況，應該避免以下的酸性食物：

1肉類、魚類、蛋類，傷害人體最為嚴重。

2所有澱粉類和穀類，尤其是經過精製加工後的澱粉類（如白米、白麵包、白麵條、餅乾、沖泡式的精磨餐包等）。

3所有甜食，尤其是白糖、精糖、精鹽所製成的果醬、果凍、糖漿、糖果、冰淇淋、飲料（飲料極度酸性，且很快侵蝕牙齒）、巧克力、罐頭水果等。

為什麼精緻加工食品，屬於酸性食物？因為在加工、精製（processing, refined）過程中附屬在其上的鹼性礦物質、營養素都消失掉了。僅剩下單一糖分，進入消化系統造成反應快速燃燒，並形成酸性物質。所以「吃方糖很荒唐」，捨棄原本具完整性營養的鹼性食物，只為了色澤白淨、顆粒細緻，反而加速內在酸鹼環境失衡，是步入酸質化體質與其它慢性病的主因，這也是我們日常生活中常見的錯誤飲食習慣。

4調味料，泡菜。

5蔥、蒜、蕈類。

6部分豆類及堅果類，尤其是花生、豌豆、扁豆。

7所有油類及奶油，油膩及油炸、油煎食物。

8穀類可藉適當的烹調及處理，減少它的酸性程度。譬如麵包，倘若經過烤箱，稍微烘烤，其中的澱粉會轉變成果糖。當它們轉成這種型態時，就好像水果中的糖分，成為極易消化的碳水化合物。許多全穀類（糙米、糙米粉、黑麵包、小麥胚芽等），與加工精製的穀類比較，酸度明顯降低，因此大家應盡可能改用全穀類，取代白米白麵。

★食物中應當增加的鹼性食物

1蔬菜類：幾乎所有蔬菜，尤其是綠色的蔬菜，都可以煮成菜湯。

芽菜則是體內最好的清潔劑，含有豐富的維他命及礦物質。

2牛奶必須是提去奶油的酸奶。

3糖蜜、純釀蜂蜜。

4大多數的堅果類，如南瓜子、葵瓜子、杏仁、腰果、芝麻、核桃。

5水果及鮮果汁：水果是食物中最容易消化的，因為水果本身的組成非常單純，人們不需再耗費很多能量去消化。因此，在營養學上，常稱水果為最佳的鹼性食物，也是最好的體內清潔劑。

6舉例說明水果的優越性：

．檸檬：具有高度鹼性。每天喝檸檬汁，可以治療各種不平衡症候。

．香蕉：含有大量的鉀，對神經有益。尤其因缺鉀導致情緒低落鬱悶時，香蕉很有助益。

．番茄：高度鹼性，是很好的酸性中和劑，可以改善酸性體質。

．橘子：具有高度的清潔性，含有大量維生素C。

★決定食物酸鹼性的考量因素

1成熟度與否

成熟的蔬果通常爲鹼性；未成熟的水果，酸味重或澀味濃，爲酸性食物。俚語說：「在樹上紅。」因此成熟度代表它是一種鹼性食物。通常爲了市場經濟，果農都是未成熟就取下，以免過熟，事實我們經常是攝取這樣的酸性食物。

2有機栽種或無機栽種

蔬果若生長在無機或噴灑化肥農藥的土壤中，土壤所含的礦物質原本就缺乏，所以生長的蔬果鹼性礦物質不足，偏爲酸性，不如有機蔬果爲健康的鹼性食物。

3發芽與否

所有含植物蛋白的堅果、豆類、核果、穀物均爲酸性食物，但有例外，例如豆類中的黃豆，堅果類的杏仁、巴西豆，種子類的芝麻，穀物類的蕎麥、小米等。

含植物蛋白的種子等，若能經由泡水，催芽，發芽或到形成芽苗，則酸性漸減而鹼性漸增，最後反而形成具足鹼性的營養食物。

4 其它

食品添加劑，加工、精製食物及各種碳酸飲料，處方用藥，合成性維他命丸，其它各類合成性藥物，均爲陰性酸性食物，呈現酸性反應。

以上這些東西本身絕對不具有鹼性礦物質，或本身具有但在加工過程中消失殆盡。

所以攝取這些食物，身體反而必須從自體內再釋放出更多的鹼性礦物質，以緩衝這些酸性反應，達成血中的酸鹼平衡。此稱爲補充礦質（Remineralizing），它的結果是使身體組織處於偏酸性中。

5花生極具酸性

花生含有高度危險性，致命性殺蟲劑及致癌物黃麴毒素(aflatoxin)，即使有機花生也可能含有黃麴毒素。最安全的花生是經太陽曝曬乾燥的有機花生，可以避免黃麴毒素生成。

6生奶酸鹼性各有說辭

克勞弗特醫生（Dr. Crowfoot）等依尿液測定爲鹼性反應。

莫特醫生（Dr. Morter）等依其含有大量的蛋白質，必然形成酸性食物。

我們所說的酸鹼平衡是有形的飲

酸性及鹼性食物選擇表

極酸性	酸性		中性	鹼性	極鹼性
未成熟的酸性水果	未成熟的水果	醬油	酪梨	成熟的水果	無花果
西瓜子	乾梅子	飲料	植物油	大多數蔬菜	成熟檸檬
核桃	李子	藥物		番茄	紅蘿蔔汁
花生	消毒殺菌生乳	酒精		小米	甜菜汁
蘋果醋	消毒牛乳			蕎麥	蔬菜汁
發酵食物	乳酪	浸泡過的穀物、種子、堅果		大海藻	味噌
蛋	消毒奶油	多數煮過穀物		生牛奶	維生素k
肉類	動物油	多數堅果		生羊奶	已發芽的豆類
維生素A	白糖	多數種子		發芽中的豆類	已發芽的種子
維生素C	大多數豆類			黃豆	小麥草汁
	豆莢類			小麥草	
				苜蓿芽	
				葵瓜芽	

食平衡，不要忘記我們在精神食糧上面也有酸甜不平衡的時候。

笑口常開是一天，憂愁苦惱也是一天；憂愁苦惱是把苦吞進去，笑口常開是把快樂噴出來。說實在，這都不是很平衡。

平衡是心波不動，了了分明。大家一定要下手去用功實踐，才能夠體會什麼叫做健康，小小的一步你就會有所體驗。

鹼性化的過程當中要保持情緒的穩定，避免產生「酸性的情緒」，也就是中醫講的「喜、怒、哀、樂、愛、惡、欲」。

印光大師《文鈔》中記載：有一個媽媽產後餵母奶，她與先生經常有口舌之爭，吵架過後就給孩子餵奶，過了不久，孩子卻因病夭折了。

然而生了第二胎又是同樣的情形，他的先生還是常常和她吵架。

到了第三胎時她遇到一個很好的醫師，經過兩次喪子的疼痛，他告訴她：「妳情緒要控制好，因爲妳情緒不好的時候奶裡面會有酸毒，這樣瞋恨的毒帶到奶裡，奶進入孩子的身體，孩子也會中毒。」

所以我們情緒不能穩定的時候，貪心、瞋心、痴心、慢心、疑心，還有對「我」的放不下，這些都可以造成我們無法計算的酸毒，那種酸性化的程度簡直是無邊無量。

我們了解了之後要讓自己過一種平衡、低壓力的生活方式，透過選擇清淨的、低壓力的食物，我們的生活就能夠配合食物產生喜悅，平和，不激動、不瞋恨。

食物會影響心情，心情會影響選擇，之後就會促進肝臟排毒、腎臟排尿、大腸排便，因此整個完整的排毒、癒合工作都可以在我們身體裡面完成。

「身體健康——弱鹼性
身體偏酸、攝食偏差——衍生諸病
酸性食物含磷、氯、硫——魚、肉、蛋、乳類、甜食、油脂（應捨）
鹼性食物含鈣、鉀、鈉、鎂、鐵——蔬菜、水果、豆類、海藻（應取）」

第三類食物：高壓力食物、低壓力食物

高壓力食物，是指攝食後，足以產生各式各樣生理及心理上的變動，小則輕微不適，大則容易造成慢性病，例如糖尿病、心臟病、高血壓、腎臟病、肝病、肺病，甚至癌病變等。

而低壓力食物則是均衡調和、中庸平和的食物。食用之後很平和，使身心平靜。

現代飲食多屬於高壓力性食物，傳統飲食則是以低壓力食物爲主。

★現代飲食——高壓力——高脂肪、高糖分、高蛋白質、高鹽分

十九、二十世紀工業革命以後，尤其是晚近的二十世紀五〇年代之後，整個世界因爲產業改革、工業升級、科學進步、交通發達，使得世界上每一個地方的疾病幾乎都相同了，現代文明病大肆侵襲已開發國家與未開發國家。

為什麼普天之下，大家所得到的都是差不多的疾病？我想這是因為美式食物侵入、登陸了。

美式食物提倡的是現代營養——高油、高鹽、高脂肪、高蛋白、高卡路里的食物。這種飲食的改變使得全世界都共同得了一種病，叫做「現代文明病」，這就是高壓力食物之下的產物。

而所謂的高壓力食物簡單歸類成四類就是：高脂肪、高糖分、高蛋白質與高鹽分。

高壓力食物

高壓力食物我們天天都接觸得到，不過，你認不認識它？

(1)高脂肪

高脂肪食物包括乳製品、煎炸食物，脂肪含量高的肉類、堅果、火腿、香腸、奶油等。

高脂肪食物，在臨床上，可生成不良壓力性效應——動脈血管硬化，過多粘液分泌，眼、耳、鼻、氣管、胃液、泌尿生殖道等經常充血，而且分泌物增加，終致心肝膽肺腸及生殖系統功能障礙。此外，精神思想及情緒會有阻滯及不安感。

脂肪的來源有兩個：一個從動物，一個從植物。動物性脂肪多半都屬於飽和性的；植物性脂肪有兩種，一類是經過加工過的蔬菜油、種子油，例如椰子油、棕櫚油、植物性奶油。一類是天然植物性油脂。而動物油脂與加工過的植物油脂對健康都有很大的威脅。

食物的脂質含量達到百分之百的有奶油、沙拉油、做蛋糕用的鮮奶油，即使它是低脂鮮奶油，它的含量都達到百分之九十。香腸、熱狗的油脂含量也都在百分之八十五以上。所以，看起來很好吃的東西其實好吃的部分多半在它的油上。

我們吃了含量那麼高的油進來就會有很多麻煩。

第一是難消化。

動物性食物的油脂含量通常都達到基本含量的五十、六十、七十、八十，所以非常的高。因此攝取這些動物性食物時，除了吃進營養，還吃進很多油脂。

動物性脂肪，不管是家禽或乳類製品，它們都是屬於飽和性脂肪，很難消化。進到胃裡頭，八個小時都還不能完全吸收，所以通常飽吃一餐之後肚子還是脹脹的，因爲食物還堆在胃裡。

動物性脂肪（飽和性脂肪酸）是提供膽固醇重要的來源。所以，要吃沒有膽固醇的東西，在動物性食物裡面很不容易找到。植物性的脂肪幾乎都是清一色不帶膽固醇的，因此要降低膽固醇一定得在植物類食物中尋找。

然而，我們人體是不是一定需要外來的膽固醇呢？不盡然，因爲我們的身體自己就會製造膽固醇，不需要從外面攝取，它有能力組合我們所需要的量。我們從外面吃進來的膽固醇都是多餘的，而它們就存在血液裡，所以驗血發現膽固醇太高，這都是吃進來的！吃進來又消化不了，就堆積在血液、脂肪、肝臟、組織、心臟，造成血管動脈硬化。

這些動脈硬化後就會造成循環上面的障礙，輕的是麻木感，覺得某兩隻手指頭，或某一條腿麻麻的，這些都是循環不良的原因，而不暢快的理由是脂肪干擾所造成的；重的時候則會阻塞，血脂肪塞在血管裡面。

我們身體有幾處血管非常重要，譬如心臟裡頭有個冠狀動脈，只要稍微被阻塞，血液過不去，我們就會覺得胸痛、流汗，要趕快送急診室，這就是我們常常看到的「狹心症」，也就是心臟好像被兩座山夾住一樣。

這是因爲血液過不去，血管太小，被血脂肪阻塞了。如果勉強過去了，疼痛就會消失；假使完全被阻塞，就是心肌梗塞、心肌壞死，那就要住進加護病房。有時候可能一、兩天就會死亡，這就是突發性心臟麻痹。

脂肪無處不到，它主要會造成通路上面的阻塞。

如果塞在腸子裡的血管，腸子會不通，造成腸阻塞，這時大便就帶黑色、帶血，有時候會肚子痛，拉血，甚至造成腹膜炎。

如果阻塞到下肢，像糖尿病的病人一樣，甚至變成壞疽，可能就要截肢，是很可悲的事情。

還有一些地方是大家看不到的，就是它阻礙到細胞的血液循環。很細微的血液循環大家看不到，不過當這些循環不通暢，細胞就會缺氧，就會變性，接著就是癌病變。所以脂肪太高也會換來身體各處的變化，這些都是因爲氧氣供應不夠所帶來的結果。

因此，動物性脂肪攝取太多，會導致這一連串的問題。

然而加工提煉的植物油也有害處，因爲它們的組成是不飽和脂肪，它對人體也一樣難消化。凡是經過加工的就有問題，你們有機會到大豆沙拉油、花生油的工廠參觀，就知道問題在哪裡。

想想看，花生什麼顏色都有，爲什麼花生油清清如水，不帶一點雜質？這裡面因爲添加了很多防腐劑、漂白劑、抗氧化劑、安定劑，讓它能夠安定。所以，不管你買的是什麼油，凡是經過加工提煉的，就要有這種知識：它對我們不但不容易消化，而且我們運用它的過程也會出問題。

人體的器官功能設計是不是需要額外攝取油脂？答案是否定的，我們不用再另外攝取，因爲從自然食物裡取得的油脂就已足夠了。

我們身體有儲存和製造自己所需脂肪的方法，從水果、蔬菜、穀物種子、豆類中就可以得到我們的所需，因爲我們需要的油脂並不多，而且能夠透過水果裡面很容易分解的糖分，分解之後再組合成我們需要的脂肪組織，完美無缺。

所以根本不需要再從其它的油脂來攝取，何況這些外來的油脂都經過烹調，烹調因經過加熱，使肝成爲一個很大很大受累的地方。

然而這些不能夠消化的油，在胃不能消化，腸不能消化，就堆積在血液裡。血液堆積之後，一部分就堆積在肝中。因此，現在好多人都有脂肪肝，那就是油脂太多，堆到沒有辦法的關係。

脂肪肝是肝病變的第一步，接下來，慢慢走上肝發炎，然後肝硬化，甚至演發成肝癌。保肝不是靠吃保肝片，但只要不攝取或減少攝取這種經過高溫加熱過的油，你就能夠得到很好的保肝效果。

食物烹調過程當中通常會把油脂加熱，除了不好消化之外，還有一個可怕的事實並沒有人告訴我們，就是它會產生「致癌物」。油脂經過加熱（尤其是不飽和脂肪），它會變性，然後致癌。而食物煮熟之後維生素C也全部破壞了，根本沒辦法抗拒癌病變。

接著談談脂肪對荷爾蒙的影響。

如果小女孩在生長發育過程吃的是很節制的東西，不是油膩膩的，不是速食品——炸雞、炸鴨、炸排骨，差不多她們的初經期（第一次月經來的時候）應該平均在十五、十六歲。

但是現在經過調查，多數孩子的初經提前在十二歲，甚至更早。我還碰過八歲就來的，根本她還是個小娃娃，心智還沒成長到那個程度，月經已經來了，這都是脂肪給她的恩賜。因爲攝取了高油、高蛋白的飲食，荷爾蒙提早發育，所以十二歲就成熟了。愈早成熟的人，很容易得乳癌、子宮頸癌。

日本、奈及利亞等國家，得乳癌和子宮頸癌的女性之所以很少，是因爲他們油脂吃得少。但明治維新、二次世界大戰之後，日本人受到很大的衝擊，因爲跟世界各地的人一比，他們都比別人要矮？他們想到吃的東西跟人家不同，所以在飲食方面也跟著美式習慣看齊了。現在國際運動場上，高頭大馬的日本人多得很，平均身材已經增高，但是得癌症的比例也增加了，守不住過去他們祖先很好的傳統。

根據美國的調查，六十歲以上的男性，百分之四十攝護腺肥大。攝護腺肥大固然是良性的，但它也是攝護腺癌的前兆。男性的攝護腺肥大與高脂肪、高壓力性食物的攝取有很大的關係。通常容易得這種病的男子有個特徵：性能力（性行爲）都在很早期就發動了，平時也攝取較多的高脂肪食物。

脂肪阻塞血管使血液的流速緩慢，單位時間內通過的血液變少，若堵在心臟會得到心臟病。由於攝護腺也是有血管的，所以脂肪吃得多，在泌尿系統的血液循環相對的會下降。這種人平常會發生性無能的感覺，一天到晚想找偏方，找補陽藥、壯陽劑、威而鋼，這是因爲他的血管受到阻礙，在功能上面導致無能的結果。

然而此病的導因在於攝取高脂肪、高蛋白質的食物，這些食物有干擾荷爾蒙的作用，會提昇男性荷爾蒙。由於這些人心理上的需求達不到，造成了身心不協調，所以他們苦悶，到處找醫生，到處看病——但是怎麼也治不好。

因此，根本解決的方法是調整飲食，把飲食上面的偏差，高蛋白、高脂肪的東西減少，不但血管不容易硬化，身心也得到調和。脂肪不去干擾荷爾蒙的分泌，身心的壓力就減少了。

平常我們大家都知道，糖尿病很難控制，不論是年紀大的，或是年紀輕的，只要得了糖尿病，醫生只是教我們要控制血糖，吃降血糖的藥，或注射胰島素。其實不只是如此而已，假設血液裡面脂肪還是很高，你的胰島素怎麼使用？脂肪會干擾這些胰島素的作用。

所以糖尿病要能夠控制好，必須採用高纖維、低油脂、低蛋白的飲食，以一至三個月爲期，這時胰島素的用量自然可以減少，甚至降血糖的藥量也會減少，最後只剩下飲食控制，你就變成一個不再需要倚賴藥物的人。

可樂、汽水、碳酸飲料都是埋下糖尿病、慢性病的禍根，所以不要貪圖方便，應該自備茶水，因爲開水是最好的清潔劑。另外也可以再加些檸檬汁，不要喝碳酸飲料。因爲飲料都是酸質的東西，吃進來使我們身體偏向酸性就釀成糖尿病！

減少或阻斷攝取高脂肪食物，可以避免高血壓、各種過敏病（如皮膚、氣喘、鼻炎等）、肥胖、心臟病、糖尿病、膽、腎結石，腸胃不適、大腸癌等癌症。

（2）高糖分

高糖分食物，包括各種甜食、精糖、蜂蜜、玉米、果糖糖漿、人工代糖、巧克力等。

攝取高糖分食物，在臨床上會造成血糖不平衡、胰臟過度疲乏，久而久之波及肝、脾、腸道，抵抗力減弱，情緒波動很大，經常自覺疲倦衰弱。

糖類不是不可以攝取，應該攝取，但是要知道什麼是好糖，什麼是壞糖，對於糖的品質應該要了解。

好糖就是不經過加工，很原味的糖，像甘蔗、甘蔗汁、紅糖、粗糖。加工的糖是細細的、白白的，像晶糖、白糖、細砂白糖，甚至有很多的代糖（糖精）。加工糖會對身體有很大的危害，汽水、巧克力、可樂這些東西都添加了這一類的糖。

糖有兩種：澱粉和果糖。澱粉是多醣，必須要轉換成雙醣或單醣才能利用。果糖來自水果、蔬菜，是很簡單的醣，吃進去很快就消化完全。因此，如果要補充糖分，應該要有一部分取自蔬菜、水果，它非常容易消化，不費力。

取自澱粉的醣一定要經過煮熟，這是很重要的一點，澱粉食物沒有煮熟非常難以消化。我們不吃生的五穀，不吃生芋頭，也不吃生蕃薯。因爲它們一定要煮熟，到了胃裡才能消化。

蘇聯有位科學家做了一個實驗，他餵小狗四種不同的東西，第一組餵小片小片的牛肉，第二組餵白麵包，第三組餵全麥麵包，第四組餵肉加麵包。四組小狗都加設導管，定時回抽他們胃裡的東西。結果發現：餵小片牛肉要四小時才會消化；全麥麵包在一小時到一個半小時已經分解完畢；白麵包經過三個小時後也還留有殘屑；而吃肉加上白麵包的狗，八小時了還有東西留在胃裡。

這個實驗告訴我們「白麵包不容易消化」。白麵包是用白麵粉做的，而白麵粉只是澱粉的成分，到了胃裡面不容易消化，比不上全麥麵粉，比不上穀物帶殼的，因爲帶殼的纖維質高，裡面又富含維生素、酵素，很快就分解，很容易消化。所以，白糖、白麵包這些精緻的東西，對我們消化系統來講，是一個很大很大的負擔與考驗。

糖是碳水化合物，不容易消化，這些東西存留在胃腸裡太久，容易產生便祕、打嗝、吐酸水、消化不良、脹氣，這都是來自於我們吃了太多精緻的東西。

白麵粉、白米都一樣，都是這一類的，它們會造成消化不良。這些消化不良的東西在腸胃道直接的有上述影響；間接的會反吸回我們的血液，就跑到我們最脆弱的地方。如果一天到晚皮膚癢、溼疹、鼻塞，就不要再吃含精製糖的食物（白飯、白麵包）。

臨床上我遇過一個病例，他是個小孩子，從出生以來就帶著異位性皮膚炎，這是皮膚病裡面很難痊癒的一種，身體抓得沒有一處是完好的，直到十歲都一樣，晚上根本睡不好，一直抓癢。在學校，同學看到他的病都會害怕，不敢和他坐在一起，怕被傳染。所以這個同學非常自卑，也很難過，看盡了許多醫生，他們只是給藥塗抹而已。

有一回我們認識了。我對他媽媽說：「要不要試試看，或許會有效，把你給孩子吃的甜食全部停掉，包括可樂、飲料、小點心、餅乾、巧克力、洋芋片，改用新鮮的水果當做正餐，他愛吃的時候你就拿水果給他吃。」我還教她自己在家做全麥饅頭。

結果非常神奇，只有十天的工夫，她打電話來告訴我說：「我的孩子手上的某一片皮膚好像換了皮一樣。」她非常高興，孩子也興奮得不得了，對自己這套飲食有無限的信心。

這孩子對媽媽說：「我願意一直這樣做，因爲十天換去十年慘痛的經驗，十年來沒有一天好日子過，現在只是很簡單的丟掉這些甜食而已，就能夠得到這麼神奇的效果，何樂而不爲？」所以，治病沒有什麼困難，只要懂得道理就很容易突破。

減少高糖食物，自然可以減少低血糖的發作、糖尿病的發生、歇斯底里的情緒反應、腸胃症狀及癌症的發生。

(3)高蛋白

高蛋白食物，包括動物性肉類，尤其紅肉（如豬肉、牛肉、羊肉），及蛋類等。

攝取高蛋白食物，會造成酸鹼不平衡。所攝取的食物以動物性肉類及蛋類做蛋白質的來源，所含的磷質通常相當高，它們屬於酸性食物，會形成酸鹼不平衡及毒害。

蛋白質經過消化之後，剩下很多不能夠消化的酸質，例如尿素氮。所以，蛋白質攝取過多，身體的酸質會升高，這些酸質就是含氮的酸質，會增加肝臟、腎臟的負擔。

拿老鼠或貓做實驗，一組餵平常食物，一組餵高蛋白。餵高蛋白的貓與老鼠很容易生病，而且壽命很短，因爲牠們的身體酸質化，使得抵抗力減弱，造成過度疲累。因此爲了保護及延續肝腎功能，必須大幅減少蛋白質的攝取。

常常覺得疲累，全身痠軟，這些就是蛋白質消化之後的廢物排不出去，先堆積在我們的肌肉組織裡。所以，如果你要生龍活虎，要遠離疲倦，蛋白質的攝取量要減少到你目前的三分之一。我們身體，只要攝取過去的三分之一到四分之一就可以了。比如還在吃肉的人，如果六天都吃肉，現在只能吃一天半。本來一天吃一塊排骨的人，要減少到只吃一小塊。日數減少、量減少，這才能夠保險不讓我們疲累。

高蛋白攝取多寡與骨質疏鬆症成正比關係。換言之，乳類製品如牛奶、乳酪攝取太多，或動物性肉類食用過度，不但不會增加鈣質含量，不會強化骨質，反而溶解骨質，消耗鈣質。這是因爲肉類及乳製品含磷量相對地高（屬酸性食物），血液酸度增加，自然由骨質中抽取鈣質，以維持血液中的酸鹼平衡。由此可知，身體吸收及利用鈣質的能力，取決於飲食中的磷質含量。

食物中鈣與磷比例愈高，骨質損失就愈少，骨架就愈強健。蛋白質攝取愈多，骨質中流失的鈣質也就愈多。

老化就是一種鈣化現象，醫學病理觀察，看到鈣化現象就當成是老化，因爲它是一種退化的表現。每一個人都很怕老，都希望不要老化，最重要的就是減少吃蛋白質。若想保持骨質硬朗，應該減少蛋白質的攝取，並不是增加鈣的攝取量。

市面上充斥著各種廣告，甚至有些醫護人員、營養保健從業者依舊迷信——「多喝牛奶，多吃動物性肉類，可以避免或減少骨質疏鬆症」，或「高蛋白質可以預防骨質疏鬆症」。這都是愚弄大眾、錯誤的健康資訊。

上了年紀之後，照腰部X光，如果發現長了骨刺，醫生會告訴你：「這是退化性關節炎。」因爲鈣質本來應該保留在骨頭裡面，它被溶出來變成骨刺，長到旁邊，這就是「退化」。

老人性白內障就是鈣質跑到晶狀體，造成了堆積。鈣質流失到肩關節就造成五十肩，手舉不起來。簡單地說，就是鈣質不能保存在應該保存的地方，它被迫流出來，流到身體脆弱的軟組織。

流失到關節就造成退化性關節炎，到皮膚就造成皺紋，到泌尿系統就造成腎結石、膀胱結石、尿道結石。所以不要問怎麼用藥溶解這些結石，只要蛋白質少吃一點，不要隨便補鈣，以免把鈣溶出來到這些不正常、不應該存在的地方。

鈣質流失到血管就變成血管硬化、鈣化，無奇不有。流失到心臟的瓣膜就造成二尖瓣缺損、三尖瓣閉鎖不全、主動脈閉鎖不全等瓣膜病症。這都是老化過程的一種現象，都是鈣質大量的從骨骼輸送到軟組織，也是老化、早衰的原因。

蛋白質的攝取量是不是太多，我們自己可以檢查。如果蛋白質攝取過多而中毒，會發覺口、唇、咽都有灼熱感；皮膚有斑塊，一抓就起斑；頭痛、腰背痠痛、疲累等，這都是蛋白質中毒，攝取過多所引起的像過敏病一樣的癥兆。

阻斷高蛋白質肉類食物攝取，可以避免腎結石、腎臟病、肝臟病、關節炎、骨質疏鬆症、乳癌、攝護腺癌、胰臟癌，也可以更長壽健康。

（4）高鹽分

鹽分的需求量，隨著人體的成長及生理狀況有差異。

嬰兒期：嬰兒身體擴張、成長比例極快速，對於具有收縮性的鹽分需求量極低。不要隨意給嬰兒添加含鹽的食物，會造成高壓力性毒害。

青壯年期：每日需要一點鹽分以維繫心智及精神的集中。

女性月經期：女性在月經前期，症狀包括膨脹感、沈重感、水分堆積增加、情緒不安，對於甜食特別渴望。

以上這些症狀出現時，可藉著減少鹽分攝取（尤其月經來潮前兩週），以減緩症狀。月經來潮進入了收縮期，排泄多餘水分、分泌物，一切又會恢復。

年長期：年紀大後對於各種事物失去興趣，精神渙散，不振。可以藉著低鹽飲食，穩定情緒。

其實我們的日用三餐中，並不需要再額外添加食鹽，因爲日常食物裡，均有或多或少的鹽分，如果再添加，極易發生過量的問題與毒害。比較好的優質鹽分來源，如味噌、海鹽、海中紫菜、海帶等。但分量只要酌量添加一點即足夠。

在購買鹽時，應注意不要採購精製食鹽，因爲它缺乏稀有金屬。也不可食用味精，百害無一益。應購買手工製作的粗鹽、海鹽，因爲其中含有豐富的稀有金屬（如鎂、鋅、銅、碘等）。

臨床上出現以下狀況，表示鹽分攝取太多，應當切斷鹽分的攝食。

1感覺緊張。

2夜間磨牙。

3口渴厲害。

4突然渴望吃甜食（平日吃太鹹的關係）。

5牙關或口腔感覺很緊，無法張開。

6 頸背僵硬疼痛，四肢沉重或腫脹。

7 血壓偏高，尿量減少。

相反地，如果出現以下狀況，反而可以酌量添加一點鹽分食物。此時最好取自天然的味噌，海帶，紫菜等食物。

1 無法集中精神。

2 感到極端疲倦，衰弱。

3 極易感冒、傷風，或感染。

4 平日經常攝取過多甜食。

- 高壓力性食物（現代飲食）
  - 高脂肪、高糖分 — 極偏陰性
  - 高蛋白、高鹽分 — 極偏陽性
  - → 趨向各種疾病
- 低壓力性食物（傳統飲食）
  - 全穀類 — 微陽性
  - 蔬果種子 — 微陰性
  - → 回歸自然健康

★傳統飲食——低壓力——低脂肪、低糖分、低蛋白質、低鹽分、高纖維（四低一高）

世界各地、民族、文化各具有傳統的食物，按照地理、方位、每個民族的土地，生產出來的糧食稱爲「傳統食物」。

譬如在中國，南方人以米爲主，北方人以小麥、大麥爲主；日本人以米爲主；印度人以米、小麥爲主；中南美洲以馬鈴薯和玉米爲主；蘇聯則以蕎麥爲主。而他們都是在主食之外再配以蔬果。

因此基本的食物都是依循各民族的地域性、風俗性，建立其各具特色的主食文化。

按人體生理的結構及功能，顯示這種組合是合乎天然，應乎生理的設計。

我們可以從以下五個方面來進一步剖析：

牙齒結構：人類有三十二顆牙齒，其中二十顆用以磨碎多數含有高纖維的食物，如全穀類、種子、常綠帶葉及根莖的蔬菜。

內在器官：人體內在器官對穀類、豆類、蔬菜所組成的飲食，能很平穩的工作，例如碳水化合物可提供穩定的熱量，不會增加胰臟過度勞動。相反地，如果飲食中含有太過量的蛋白質、糖分、鹽分、飽和脂肪，器官中的肝、腎、膽囊、心臟，均會過度工作，變成疲乏衰弱及障礙。久而久之，造成能量下降，衍生很多疾病。

腸道結構：傳統飲食含有高纖維，高纖維可以達到人體自我調節及清除廢物的功用。相反地，現代飲食（如美式低纖維、低渣、高油脂、高糖、高蛋白）會導致消化機能遲緩、消化不良、腹脹、便祕，埋藏了大腸癌罹患率偏高的直接因素。

腸道內有益的菌落：以全穀類爲基礎的飲食，會促使腸道內有益菌落的生存。如果飲食被過多脂肪、糖類、肉類，或人工化學添加劑（如食物中殘存的農藥、防腐劑、抗生素、荷爾蒙等）取代時，有益菌落會死亡，取而代之者是有害的微生物。此時，可以藉著攝取發酵（如味噌）食物，或生食芽菜活化腸內有益菌落，以改善健康狀況。

血液成分：低油、低糖的飲食，血液循環較爲通暢。高脂飲食會使血液濃稠、阻滯。此外，高糖飲食會造成體質衰弱，胰島素分泌增加，胰臟對血糖失去自動性，終致糖尿病形成。

低壓力食物

低壓力性食物——低鹽、低蛋白、低糖、低脂肪，再加上高纖維，能夠讓我們保持身心健康，讓我們均衡，讓我們身體回歸到弱鹼性。

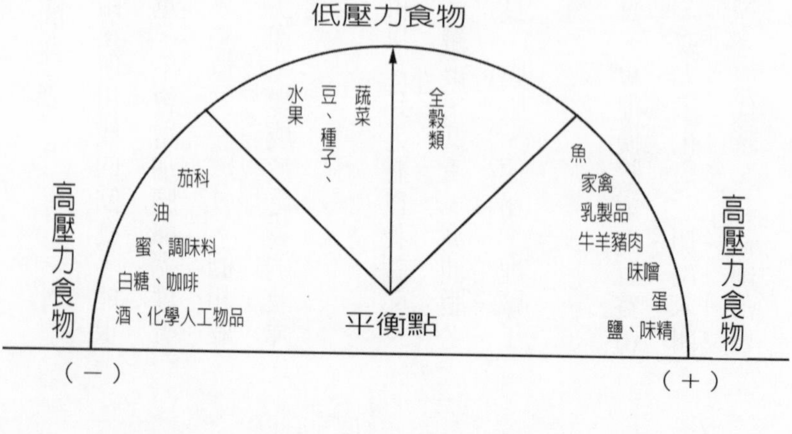

第四類食物：陰性食物、陽性食物

我們生存的地球，各種類的生命均以兩種相對自然力量，維繫生命的平衡性。東方國家稱爲陰陽學說，細論之則有五行（金木水火土）相生相剋的說法。西方國家則稱爲收縮性力量及擴張性力量。收縮力代表促使人體組合起來，形成緻密堅實的個體，其中地心引力是最強的收縮力代表。擴張力則是對抗地心引力，是一種離心力，或一種推力。這種力量的形成，足以圍繞人類的大氣層，提供我們呼吸、思想活動，以及感受環境變遷的作用。

在自然界中，從巨視到微觀，處處都蘊含這兩種力量的存在，相互協調，相互制衡，一收一放，一陰一陽。

陽性食物就是收縮性的食物，陰性食物就是擴張性的食物。因此，在健康均衡飲食上，我們要攝取微陽收縮性食物及微陰擴張性食物。

★健康的微陽收縮性食物

1健康微陽收縮性食物的特性

·緻密，沈重。通常長在地上或深入地裡。

·較易保存，不易腐壞。

·生長在較寒涼的氣候（屬秋冬作物），成長緩慢，樹型矮小。

·性質堅厚，含高纖維，煮熟後方能食用。

·它的性質溫暖且乾燥，味道辛鹹，多半適合熟食。

·含鈉離子多，也就是鹽分偏高。

·果實似肉、多肉，或內容充實。果實外表堅硬，水分少，葉細菱角型，不易煮熟，愈煮愈硬，向心力強。

2健康微陽收縮性食物對身體所產生的效應

·提供生理性活動力。

·有目標，能集中注意力。

．具有果決力，獨力性強，競爭性，緊張，壓力大。

．理性科學性，屬於偏向左腦思惟的效應。

★健康的微陰擴張性食物

1健康微陰擴張性食物的特性

．多孔洞，疏鬆，輕巧，可透氣，有滲透性。

．易腐敗，不易保存。

．往地上生長或爬在地面上，成長快速，樹型高大，或如蔓藤般，屬春夏季作物。

．生長於較暖和的氣候。性寒、涼、濕，味道甘、甜、酸，略苦。多半適合生食。

．含鉀離子多，果實外表柔軟，水分多。

．葉大而圓，易煮熟，多汁，多葉。

．離心性強，煮熟後即刻變嫩變軟。

2 健康微陰擴張性食物對身體所產生的效應

·提供精神上，心理上，心靈上的活動力。

·敏感度高，能輕鬆的工作。

·心情愉快，溫柔，調順，具同情心，忍受力，合作性高。

·感性藝術性，屬於偏向右腦思惟的效應。

3 不當攝取陰陽性的食物

(1)過度擴張偏陰型

攝食偏差——習慣性攝取較多甜食、蜂蜜、巧克力、高油食物、飲酒、咖啡、汽水、可樂、太多水果、酸乳酪、太偏陰性的蔬菜（如芋頭、馬鈴薯）等。

引起的情緒變動——這類物品極易消耗能量，形成疲憊，手腳末稍冰冷，體質偏於陰寒。生命力表現得沒有朝氣，精神渙散，自覺喜怒無常，多夢，迷糊，焦慮，傷感，沒有企圖心，無助感，擔憂，恐懼，過度敏感。生理上，腹瀉，分泌物增多，極易感染或感冒，若有病則纏綿不盡。

(2)過度收縮偏陽型

攝食偏差——習慣性攝取太多肉類、魚類、海鮮、乳酪、蛋、乳製品，以及含鹽分高、添加味精的醃燻製品，炸薯片、餅乾、罐頭食品等。

引起的情緒變動——感到興奮激動，喜與人競爭、爭鬥，沒有耐心，頑固倔強，高傲自大，憤怒，暴力，強迫性人格，易發怒，感覺遲鈍。生理上會出現緊張，沈重，身體發燒，便祕，口乾口渴舌燥，急躁，挫折感。

(3)兩極化間交替變動型，兼具陰陽偏失

攝食偏差——攝取高糖分、高油脂、飲料、酒之後，會使人有虛脫無力感。自然會偏好高蛋白質的魚、肉、蛋類、乳製品，及高鹽分食

物，試圖藉此以求均衡。所以臨床上這種兩極化的攝食型態，會不斷地重複循環不已，如蹺蹺板的兩端，一高一低，此起彼落，追逐不息。

引起的情緒變動——可以發現在同一個人身上出現雙重的情緒波動，兩極化間交替徘徊，變動不足。影響所及，生理的變化，也是寒熱不定，陰陽錯雜，非寒非熱，亦寒亦熱，虛中有實，實中有虛。人雖虛弱卻不能吃補。外表看似健康，實則經常罹患感冒或有宿疾。

所有的偏差，只要選擇中庸的食物都可以調適過來。只要捨棄極偏陰及極偏陽的食物，代之以攝取全穀類、蔬菜、瓜果，就能打斷這個永無止盡的循環模式，進而獲得情緒平和。各種過度的激躁或過分的消沈，均會自然緩解，逐步遠離太過刺激、太重口味的飲食習慣，自然而然地擇取清淡、低壓力性、中庸的均衡食物。

(4)食物烹調法與陰陽屬性的關係

烹調法會影響食物的陰陽性質，改變食物的能量。

同樣一種食物，做法不同時，它的陰陽會偏差。希望食物變成陽性的，就用火慢慢煮、慢慢燒；要讓它變成陰性的，就用快速法——水燙、快速蒸、快煮或生食。

如果用果汁機攪打或冷凍，會偏到很陰；食物用烤、煎、炸會偏陽，會上火，這樣都不是很好。

大家最容易忽略掉的是：所有食物經過微波爐處理後，就失去它原有的能量，變成幾乎一無可取，一種極陰的食物，對我們的身體非常不好。希望你們把家裡的微波爐當成一個箱子裝東西就好，不要再使用它了，因爲這是最破壞食物特質的一種烹調法。

4季節變化與陰陽食物的攝取

(1)夏季飲食型態（以攝取陰性擴張食物為主）

暖和的氣候，應多攝取一些擴張型微陰食物，藉著適當烹調法，協助我們達到放鬆身心，增益精神輕安。

所以應快蒸、快煮、快燙，生食份量可以增加。食物以保持清涼新鮮爲宜。

多吃向上生長，葉多、汁多，嫩軟綠色食物，減少鹽分使用。並多利用生薑、嫩薑、檸檬、米醋、九層塔等天然新鮮調味料調味。忌用太多冰凍食物，夏季貪涼，反而會種下往後陰寒虛衰的體質。

(2)冬季飲食型態（以攝取陽性收縮食物為主）

寒涼的氣候，應多加選擇收縮型陽性食物，以提供舒適暖和及充足的力量。

烹調方法是快炒、快煎，小火慢慢煮，加壓煮或燜燒的方式。避免在冬季食用太多油炸、炭烤食物，以免體質偏於燥熱，化成虛火。

食物上盡量多保持溫熱食用，多吃向地性的根莖類，或組織較緻密的蔬菜水果。

也可選擇綠色強壯多葉食物（如牛蒡、南瓜、大頭菜、花椰菜、甘藍等）。酌量加入一點海鹽或味噌調味，或添加一些海中蔬菜（如紫菜、海帶、昆布等），並以老薑、乾薑、肉桂、小茴香、肉蔻等溫和暖性的天然調味料調味，增加收縮型陽性食物的功效。

時時觀照覺察自己的身體，便是最好的醫師。

處處攝取均衡自然的食物，就是最好的藥物。

介紹了四類均衡飲食類別之後，深信心中必有正確的取捨標準，擇善固執，捐棄往昔的惡習，重新建立正常的均衡飲食觀念，是邁向健康之道的第一步。

生理特質與食物調配

食物調配就好像醫生開處方，首先要對每一種藥物的性能、特質有所認識，才能夠調出一道道適合病人的處方，對症下藥。

做飯做菜也是一樣，三餐的飯菜就是最好滋養、療養我們身心的，所以絕對不可以隨隨便便從冰箱拿出東西，就隨便煮，不是這樣子的。

透過對食物的認識，要選擇對我們有利益的。

如果不知道調配的方法或原則，胡亂的搞在一起，而且又不知道哪個該先吃，哪個該後吃，攝取時沒有任何禁忌，這樣想要得到健康是很困難的。

譬如大家現在懂得選擇悅性食物，懂得選擇鹼性食物，買了很多青菜水果，擺了一桌都是，但是吃下去之後仍然抱怨：「姜醫師，吃得肚子動彈不得，又脹氣！哪有快樂？都是煩惱！」

爲什麼吃了悅性食物，反而帶來苦惱呢？錯不在食物，錯在我們不懂得調配。

一個好的廚師、好的調配者，他能夠調配得又新鮮美味，又有益健康。調配是門大學問，不懂得調配依舊不能得到眞正的健康。在學習調配之前，應當認識人體生理消化、吸收、利用的眞實狀況，方能運用自

如，臻於健康之道。

認識生理特質

★消化的途徑

食物由口腔攝取，藉著牙齒的咀嚼與唾液充分混合，開始進行消化過程，經由吞嚥通過喉部會厭區，送入食道，轉入胃中，按食物種類，分門別類依序消化分解，再緩緩送入小腸做最後的吸收。

消化過程中，第一步自我咀嚼非常重要，若不能細嚼慢嚥，經常會造成消化不良。隨著年齡的增加，咀嚼次數也應增加，以期達到充分消化的目的。

然而咀嚼除了幫忙食物消化之外，也刺激腦部的活動，減少退化。

★消化的執行

食物中含有澱粉，消化信號從口腔即開始發動，由唾液腺分泌澱粉酶，選擇口腔鹼性環境發揮它的活性，把多醣的澱粉分解成簡單的糖。澱粉酶在胃液強酸環境中會被破壞，無法發揮作用。所以攝取五穀類含澱粉的食物，應當在口腔中充分咀嚼，方能獲得妥當分解，有助於消化吸收。

食物中若含有蛋白質，則會被送入胃中，在胃液強酸（以鹽酸爲主）環境下，由胃蛋白酶分解成較小分子衍生蛋白質（peptons）。然後再轉運到小腸中，藉由另一種腸蛋白酵素（erepsin）分解成氨基酸。

食物中若含有脂肪類時，也會被送入胃中，等待胃脂肪酶（gastric lipase）分解脂肪。

但分解脂肪必須在中性偏鹼性的環境中進行，若在強酸環境，反而會抑制胃脂肪酶的分解作用。

★胃的排空現象

消化食物的過程中，通常要考慮三個因素：

1 酸鹼性環境決定食物的消化能力。如蛋白質須在強酸條件下，澱粉須在鹼性，脂肪則必須在中性偏鹼性的環境。

2 每一個消化腔道含有它特定的消化酶，以便執行特定消化工作。

3 由胃到小腸，不同種類食物，胃的排空現象，也會隨之變化。

有關胃的排空時間，情況如下：

1 如果單獨攝取水果時，水果停留於胃的時間不會超過一小時。由此可知水果是極易消化的食物，一小時以內就會完全排空，進入小腸吸收。

2 澱粉類食物的排空時間約爲二至三小時。

3 蛋白質類食物的排空時間約爲四小時。這是指在含有鹽酸的胃液下，完全分解，不受外界干擾時。

4 脂肪類食物的排空時間約需六至八小時以上。

5 其它若攝取較複雜的食物，如乾燥的豆類，則非常不容易消化，因爲其中含有高濃度的澱粉及蛋白質，這種食物的組合，至少需要五至六小時以上才能消化完全。蛋白質分解需要強酸環境，澱粉消化卻需要在鹼性環境，所以蛋白質的排空先完成，澱粉延後。結果澱粉在胃中延長分解時間，造成醣類的發酵及腐敗。

食物若停留胃中較長時間，容易生成腹脹、打嗝、吐酸、口中有異味、口臭，代表食物的組合不當，導致胃的排空延長，消化不良。因此，食物積存在胃中時間太久，會造成食物腐化現象，進而干擾到營養成分的吸收與利用。

★影響胃消化的因素

胃的內壁有三萬五千條腺體，每天分泌三點五公升胃液（主要是鹽酸），用以促進蛋白質的分解。

胃攪拌食物，是靠肌肉收縮的。我們所攝取的東西，一層層堆積起來，消化作用則是從最靠近胃內壁的東西開始消化起。肌肉的收縮，波浪式的摩擦動作，從上到下，連續不停。爾後消化攪拌均勻，使食物變成濃濃的漿糊般，緩緩地送到幽門瓣，進入十二指腸。

假使有大量的胃液流入十二指腸內，就會侵蝕十二指腸壁，發生潰瘍（消化性潰瘍，十二指腸潰瘍占75％，胃潰瘍僅占25％）。

正常生理幽門瓣有節制性，每次僅能容許少量食物通過，絕不會超過十二指腸（其爲含鹼性消化液）。攝食的先後順序、食物的配合組成，都與消化吸收息息相關。

影響胃的消化機能有以下因素：

1食物的溫度：冰冷食物會延緩胃的蠕動。如喝一杯冰水或吃一大杯冰淇淋，胃的溫度，由攝氏37度驟然降低至11度左右。約需半小時以後，才能恢復溫暖。在這段時間內，一切胃的消化分解蠕動完全停止。

2情緒的影響：生氣動怒，滿臉通紅，胃也會脹紅。害怕時面如死灰，胃也會變成灰色。興奮緊張時，胃會劇烈收縮，胃液分泌增加三倍以上。而焦慮不安時，肌肉蠕動幾乎完全停止，胃液分泌也會減少。此時如果吃東西，食物就會原封不動堆積在胃中，使人感到又脹又飽，極爲不適。因此，情緒不穩定時，最好不要再吃東西了。

3刺激品的傷害：如胡椒、蒜、咖啡、酒精、尼古丁等，會刺激胃的內壁，使胃的內膜馬上充血，像火灼燒般，並會促使分泌大量胃酸，增加胃潰瘍的機會。

4藥品的影響：如阿斯匹靈會刺激胃壁，造成胃的糜爛及許多出血點。

★影響小腸消化吸收的因素

人類的小腸分成三段，第一段是約二十五公分長的十二指腸，第二段是二點五公尺的空腸，第三段是三點五公尺的迴腸，最後則是一點五公尺的大腸。所以腸道約有八公尺。

小腸猶如一座複雜的食品加工廠，它能使食物變成血液裡正常的成分，提供人體無數萬億細胞的食糧。如果不是小腸能將食物做化學性的轉換，就算攝食再多，依舊無法利用。

小腸除了纖維質如硬果皮、芹菜筋等無法消化外，其它沒有不能消化的。

當十二指腸分泌激素，注入血液中，刺激胰臟即刻分泌鹼性的消化液，每天大約就有一公升左右的消化液會流入十二指腸，用以中和胃酸。如果失去這種功能，十二指腸潰瘍就形成了。

每天流到小腸的消化液，尚有兩公升的唾液、三公升的胃液、兩公升膽汁以及腸液，合起來約有八公升。

腸壁內有幾百萬根絨毛，爲分解及吸收食物的場所，最後蛋白質及碳水化合物，送入血液中，脂肪則取道淋巴循環系統。

小腸消化一頓飯時間，約需三至八小時。精神緊張，服用藥物，細菌侵入，會加速小腸的蠕動而腹瀉。憂慮不安，飲食不當，藥物作用會影響小腸蠕動停頓，形成便祕。

★列舉不當的食物組合

食物如果組合得宜，不但能獲得完全消化，營養成分也能得到完整吸收。

食物不能完全消化，主要是胃內的排空時間延長，在胃內停留而形成自生性毒素，及自生性腐化現象等。譬如碳水化合物未消化完全，形成發酵作用，轉生成二氧化碳、乳酸、醋酸或酒精等毒素。又如蛋白質未消化完全，形成腐敗現象，分解成屍鹼類及leucomaines等毒素。

這些分解形成的毒素，就是殘害人們肝臟、腎臟、心臟、胰臟等器官的元凶，也是造成我們消化不良症狀的來由。

以下列舉七種不當的組合，說明如下：

1 酸與澱粉的組合：

・因爲所有的酸均會破壞澱粉酶，因此在酸性食物存在下，澱粉類的分解必然受到阻礙。這種酸包括水果中自然存在的酸，或食用醋所含的醋酸，均會導致澱粉在胃中停留而發酵及腐敗。

·酸味水果與甜味水果，不宜合用。

·五穀、麵包、馬鈴薯等澱粉類，不要與水果合用。

2蛋白質與澱粉的組合：

·唾液分泌澱粉酶，進入胃的強酸環境中會遭到破壞。相對地，蛋白質的消化卻須在極酸性（鹽酸）環境中進行。所以蛋白質與澱粉的配合是釀成許多腸胃病的誘因。

·例如米食、麵食，再配以魚、肉、豆類製品或種子堅果類。在我們日常生活中處處可見。

3蛋白質與蛋白質的組合：

·每一種食物中所含的蛋白質，皆需要有特定的消化液及不同的消化時間，來進行分解動作。

・兩種以上蛋白質混合使用時，消化會變得很困難。

・蛋白質的消化是食物消化中最困難的一種，因此我們攝食時，最好每次僅攝取一種蛋白質。

・我們通常會選用兩種或兩種以上的堅果類合併使用，這是不太理想的組合。

・最近的研究顯示，蛋白質的需求，在每一餐食間，並不需要具備所有的必需氨基酸。

4 酸與蛋白質的配合：

・蛋白質的消化必須在強酸中進行，胃蛋白酶僅在鹽酸環境才能活化運作，其它的酸（如水果的酸）的確會破壞這種酵素。

・當水果與蛋白質混用時，水果會積存停留在胃中，直到蛋白質完全消化爲止，此時在胃部停留的水果也會發生發酵現象。

・有一個例外：堅果或種子類所含的蛋白質，不像其它魚肉等蛋白質那麼容易腐化，因爲其中含有高量的油脂。

蛋白質在胃中消化分解，脂肪會抑制它的作用，因此蛋白質反而在胃內獲得了完整且最強消化液的消化作用。所以堅果、種子合併水果使用時，並不是水果的酸延緩消化液的分泌，而是藉著堅果及種子內含的脂肪來達到這個目標。由此得知水果可與堅果或種子合用。

5脂肪與蛋白質的組合：

·脂肪會抑制胃部消化液的流速，達到干擾或抑制蛋白質的消化作用，導致食物的消化作用遲緩，造成消化不良。

·因此我們不需要額外增加油脂的獲得，因爲大多數含蛋白質的食物，均含有足量的脂肪。所以任何額外添加的脂肪，均會造成消化上的障礙。

·使用含蛋白質食物時，避免再混入奶油、油、酪梨等高油脂食物。

6糖與蛋白質的組合：

糖會抑制胃液的分泌，也會干擾蛋白質的消化。水果中的糖分及商業上所用的精糖，均會有干擾現象。糖分留存於胃腔中，也會進一步發酵，所以這種組合不適當。

7糖與澱粉的組合：

・當澱粉與糖合併使用時，澱粉會被隱藏起來，致使澱粉的消化作用受到阻礙，唾液腺不會分泌澱粉酶。

・糖進入胃部，會造成發酵的腐敗現象。

・這種組合在我們日常生活中常常可以見到，例如：攝取糕餅。糕餅是由含澱粉的麵粉，配合爲了調味所用的精糖所製成的。

常見不當的食物組合

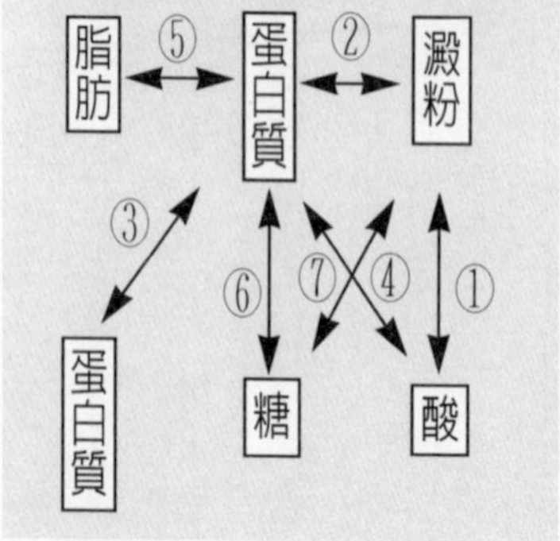

食物調配的原則

食物本身就賦予治癒疾病，增進整體健康的能力。

透過對食物種類的辨明，明智的抉擇，與適當的食物調配，我們的每一餐都能洋溢慈祥和樂，遠離疾病，身心自在。

健康絕對不是用高價位可以買賣的商品，健康是自我親身經歷且付諸實踐的坦途。

★十項重要原則

1食物經辨明種類後，選擇以蔬、果、穀、芽為主。

2每餐建立以蔬菜或水果為中心的調配法。

3蛋白質、脂肪、澱粉攝取量宜減少。

4澱粉、糖類與蛋白質、酸性水果，切忌等量混用。

5水果、瓜類宜單獨攝取。

6調配食物要種類單純，簡單勿複雜，減少人工調味料。

7烹調方法及時間，以減少破壞食物本身養分為主。

8食物以季節性、地域性採收為主。

9食物栽培以有機栽種，無農藥及化學製劑殘存為佳。

10兩餐間隔四至四點五小時以上為宜。

整個食物的配合，要點在於把握蛋白質與澱粉不能夠等量相混。犯了這個要點，會造成很多疾病的來源。

蛋白質必須要在酸性環境才能消化，澱粉則要在鹼性環境，酸鹼不協調，不能混用。

雖然自然界裡面蛋白質與澱粉組成的東西非常多，可是天然食物裡有沒有看過又含有高蛋白、又含有高澱粉的任何一種食物？自然界沒有這種組成模式，可是人們卻常使用這種組合，把高蛋白與高碳水化合物混用，所以我們的胃當然會承受不了，因爲這違反了自然。

自然界的組成，以肉類來看，是以蛋白質爲主；碳水化合物則主要是肝醣成分，含量非常的少。所以肉類是以蛋白質與多數的油脂組合而成，它的碳水化合物含量不多。

反觀五穀類，如全麥、大麥或糙米，主要以碳水化合物爲主，它的蛋白質不到百分之十，脂肪不到百分之五，很好消化。

自然界長遠保留下來的東西，不會因爲物競天擇遭到淘汰，這表示它的結構成分有值得我們學習的地方。

今天我們做一餐飯，弄得什麼東西都是最高，什麼都是最多，什麼都是百分之百，根本就是糟蹋了我們的腸胃，根本就不能消化，最後當然會衍生很多很多的慢性病，這一點大家要好好地思惟，要把調配的觀念改過來。

澱粉與蛋白質不能配在一起，是指不能夠「等量」組合。

蛋白質在一餐之中最好不要超過三種，不要又吃雞蛋、又吃牛肉、羊肉、大豆，這樣子蛋白質太過複雜，會使我們的胃搞不清楚，所以只要單獨的選擇一種蛋白質就夠了。

常聽說「少量多餐」，雖然少量，但是根本還沒有消化下一餐就來了，所以胃病永遠治不好。

一餐與下一餐之間要隔四到四個半鐘頭。而消化不良的人不要吃消夜，晚上必須減少攝食的總量，並減少碳水化合物的量，如果以蛋白質爲主，那就很好消化，不會到隔天還有殘留。

早餐進食不是看時間，而是看有沒有這個需要，以我們自己生理的需求來決定要不要吃早餐。

如果前一天晚上沒做什麼，早上也沒什麼事情須要做的，肚子還是脹脹的，八點一到仍然不該吃早餐。所以，食物的選擇、食物的需求要看我們個人的生理狀況，不是時間到了就吃。

在這一輩子當中，從來沒看過牙科醫師的人很少。但是牙齒有病，醫生怎麼告訴我們？「你要多刷牙，要用加氟的牙膏，買牙線，要怎麼刷怎麼刷。」看你的牙齒不行了，就說，「拔掉，裝假牙，牙齒要矯正」。有哪個醫生告訴你「少吃酸性的東西，少吃糖分」？可能有，但，是少數。

其實，看種族健康不健康就看他們的牙齒。以非洲老祖宗的牙齒為例，以前非常飽滿，三十二顆牙；現在牙床結構全部改變了，牙齒凌亂，齒槽變得很小，不夠長十六顆在下面，十六顆在上面，長得凹凸不平，很少有完整的。

牙齒的毛病出在哪裡？應該要讓口腔維持在鹼性的環境。我們吃了很多酸的東西，例如糖等，它沒有辦法消化，卡在牙齒，所以整個口腔環境偏向酸性。而長期處在酸性的環境裡，長期磨損，就造成牙周病、蛀牙，種種無奇不有的病。

有些小朋友不能斷奶，拿著奶瓶睡覺，將來發展成為奶瓶性齲齒，很可怕。它會蛀到使得結構整個變小，長不出健康的牙，而且奶有乳酸，會腐蝕牙根，牙齒怎麼會好？

所以牙齒如果不好，趕快保持在鹼性環境下，大量地攝取鹼性食物，盡量杜絕澱粉、糖分的食物，即使不用加氟牙膏，蛀蝕的地方也會慢慢變成很好的組織。

以前有個病例，有位年輕的病人，上下牙床總共蛀了十六顆，牙科醫師不知道該怎麼辦，拔也不是，不拔也不是。後來他找到一個醫生，這位崇尚自然的醫生，告訴他飲食應該如何攝食。第六個月之後，他回去給這個牙科醫師看，牙科醫師非常驚訝，十六顆蛀牙竟然好像填平了，有另外的一些組織長在蛀齒上面。他拿起鑽牙器鑽，非常堅硬，根本鑽不下來，就像我們的牙齒結構一樣，這就叫做「脫胎換牙」。

所以，有很多治療的模式，並不是應該怎麼樣或一定要如何才算正確。我們只要回歸正確的飲食與生活，崇尚大自然，不要用加工的，不

要用人工精緻的東西，就可以讓我們恢復健康。

正確的攝食不但讓我們的生命更具有價值，而且讓我們遠離慢性病，甚至遠離可怕的癌症。

水果應該單獨攝取

★水果的分類

通常按照水果中所含糖分及水果酸的量，區分爲三類：酸性、亞酸性、甜性。

茲列舉如下：

酸性水果——葡萄柚、橘子、鳳梨、奇異果、檸檬、酸蘋果、草莓、酸李。

亞酸性水果——蘋果、芒果、杏子、木瓜、葡萄、桃子、櫻桃、蜜李。

甜性水果——香蕉、甜葡萄、乾果、無花果、柿子。

亞酸性水果可與酸性或甜性水果結合使用，但酸性水果不應與甜性水果合用，因爲酸的水果會干擾甜的，影響排空時間。

水果潛在性屬於鹼性食物，但它鹼性的作用卻必須透過消化系統，才能完全發揮出來。當水果成熟時，水果所含的酸會逐漸轉型成爲糖分。

水果多半含檸檬酸、蘋果酸等酸質，經歷完整的氧化作用，形成二氧化碳及水，反而會增加血中的鹼性作用，幫助人們維持血液的酸鹼平衡。

原則上攝取水果應限制種類，一次不要超過三種以上。如果要飲用蔬、果汁，應於用餐前三十分鐘使用，因爲蔬、果汁會使消化液稀釋、沖淡，影響消化作用。所以果汁不應與主餐合用，最好單獨飲用。

★水果的調配

水果若與其它食物合併使用，將會停留在胃部一段時間，直到食物消化後，才會開始作用。

此時滯留的水果，所含的糖分就會發生發酵作用，呈現出與其它食物合併使用的不協調現象。這就是爲什麼我們在飯後吃水果，會有飽脹感、泛酸、噯氣（酸水冒出來）等不舒適的感受。

熱帶或亞熱帶地區以水果當做早餐或夏日的午餐，尤其以水果全餐最爲理想。

水果全餐能促使我們身體更有效率的善用能量，在早餐後，就可以發揮創造力，在更多腦力、心靈，或身體勞動的工作上。因此，早餐以水果爲主，是創造活力的泉源。

如果一時間不能習慣純粹以水果作爲主餐，可以任意選取下列三種建議，加以調配：

1加一至二湯匙的生麥片（麥片可於前一晚，以冷開水浸泡），這是著名的瑞士營養學家布萊柴爾—班納（Dr. Max Bricher-Benner），精心調配，極富醫療效果的瑞士營養餐——麥果泥（Muesli）。

2加一湯匙小麥胚芽或麥麩合用。

3加一些堅果（如芝麻、葵花子、南瓜子等）。尤其甜性水果加堅果，味道極佳，組成也理想。

病中若以水果餐爲主，甜味水果則切莫與強酸水果合用，如香蕉、無花果、甜棗等，不要與橘子、葡萄柚或鳳梨等合用。

任何水果均以季節性、產地所生長的爲宜，攝取時不但要足量，且最好是以有機農法栽種者爲上選。食用水果，不要加糖，而任何堅果、種子經過發芽或浸泡後，均可與水果合用。

水果攝取的通則是以單獨爲最適宜，但唯有酪梨例外。

酪梨本身含有豐富的蛋白質及脂肪，不僅味道醇美，也提供非常優質又自然的油脂來源。但它豐富的油脂成分，會阻止其它蛋白質、澱粉的消化及延長胃的排空時間。

酪梨可與任何酸性或亞酸性水果合用，可與不含澱粉的蔬果合用。它本身蛋白質的含量，遠勝於牛奶，所以不須另外再與其它蛋白質合用(包括種子及堅果類)。並且它是沙拉醬的重要材料。

瓜類則是水果中，最容易消化且消化最迅速的水果。不過食用任何瓜類，均宜單獨使用。如果與其它食品或水果合用，瓜類會滯留在胃中，因糖分發酵產生氣體，形成嚴重的脹氣，甚至腹痛。

例如在餐後吃西瓜，西瓜會被食物、分泌增多的唾液及胃的消化液所阻擋，因而在胃中滯留，形成腹脹不消化的現象。

食用瓜類的時間，宜在進餐前的半小時以上，或者進餐後至少三小時最爲適當。

食物的鑽石組合(The Diamond Diet)——蔬果穀芽飲食法

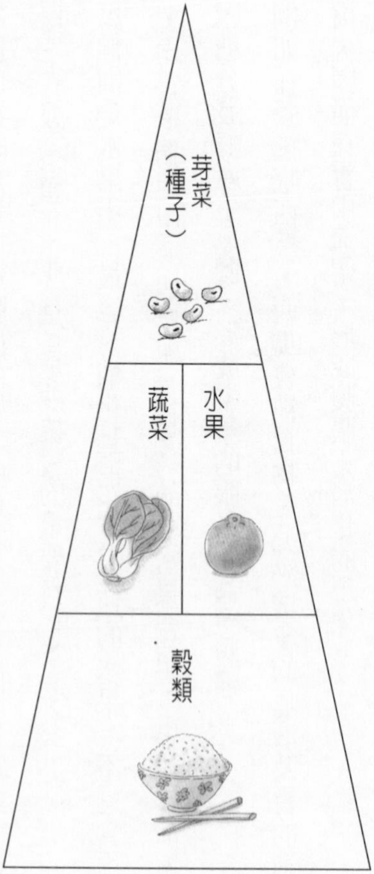

蔬果穀芽或稱四大金剛飲食法的比例分配如前圖的三角形。它的基底部分是穀類，比例至少要55～60％以上，蔬菜占20～25％，水果占15～20％，最尖端的芽菜則包括種子與堅果類。

穀類

★從營養均衡上認識穀類

在美國或台灣，穀類被認知爲澱粉。而澱粉被視爲是通盤一致，無有高下，均是一種會令人增肥的東西。因此大多數穀類被用來當做動物飼料，在人們的心裡向來很少尊重它。

直至最近幾年，澱粉這個名詞，又逐漸被全穀類（Whole Grain，又稱爲複合式碳水化合物——Complex Carbohydrate）所取代。

碳水化合物爲五大類營養之一，通常分爲兩類：一爲單純式碳水化合物（Simple Carbohydrate）；一爲複合式碳水化合物。

單純式碳水化合物如精製品（方糖、葡萄糖）等，在加工食品中製成許多麵包、罐頭、飲料、餅乾、小點心、甜食、白米、白麵等。目前市面上到處充斥，其實這些已失去了纖維素、礦物質及維生素的營養。

複合式碳水化合物來源是全穀類、蔬菜、水果、豆類等自然的食物。它的好處，除了碳水化合物之外，還含有維生素、礦物質、纖維質，少量的蛋白質、脂肪，及多量的水分。複合式碳水化合物的整個結構，是屬於相當均衡的營養素，且熱量相對性低，不會使人發胖。

複合式碳水化合物必須經由消化道的酵素分解，形成單醣，可以簡易快速的由腸壁進入血液中循環。對人體消化生理而言，它較單純式碳水化合物醣類爲優，這是因爲複合式碳水化合物能達到平穩且平衡的代謝過程，而且可以提供完整、必需的營養分。

高度精製的白糖、白米、白麵，僅是單一葡萄糖，與複合式碳水化合物無法比擬。單一葡萄糖會迅速提升血糖値，血糖急速上升，催促胰臟分泌胰島素，以緩和高血糖的狀態。這種攝食方式，久而久之會使人們的胰臟疲乏，造成血糖耐受不良及其它營養上的缺陷，進而釀成人們急躁、低潮、情緒變動不安，生理容易形成各種慢性及代謝疾病。

大多數人，至今依舊無法改正錯誤的觀念及認知，對全穀類認識不足，所以長期存留在攝取加工精製碾製的白米、白麵階段，全然無法體會全穀類對我們消化力的利益，是高度加工品、營養餐包所無法取代的。

全穀類提供飢餓時的滿足感，味覺上的豐富感，能量與精力，以及神經性地平穩性，促進深沈的睡眠（此爲正面利益），快速的反射作用，增強記憶，使思考能審愼周密。

此外，全穀類能促進廢物的排除，它含有高纖維，消化排除腸道廢物，多食全穀類絕對沒有便祕之苦。如果能接受以全穀類爲飲食的基礎，人們將會找回失去的營養及健康。

★從解剖結構上認識穀類

穀物的基本結構，由外而內，依序可分成五層：

1殼、外皮、莢層（Hull）：堅硬外殼，保護種子用的。

2糠、麩層（Bran）：包括若干層，由粗糠到細糠，碾磨時精粗的決定在此層。全穀類幾乎都具有麩層，但在碾製過程中，會削落掉。愈精製加工的穀類，就失去更多的糠（麩）。

麩層的營養成分，有86%的維生素B3（Niacin），43%的B2（Riboflavin），16%的礦物質，100%的纖維素。它所含的纖維素有兩類，可溶性纖維素（如燕麥及大麥），可降低血中膽固醇，吸附致癌物；不可溶性纖維素（如小麥及玉米），可吸收水分，增加大腸蠕動，排便量多且鬆軟，有利排除廢物。

3外胚層（Aleurone）：包裹核仁及胚芽。此層歸入麩層的一部分。

4胚芽（Germ）：穀類中最小的部分，占核仁2%的比重，位於核仁的基底部，爲種子的一部分。當種植、發芽或培植芽菜時，就是由此點促發成熟的。胚芽的營養成分含有豐富的不飽和脂肪、維生素B群、維生素E。它的B群含量，無法與麩層相比。

胚芽的營養豐富，主要脂肪含量多，所以容易發霉，並且油脂遇熱或經日光照射，容易變性，味道不太好聞，因此在碾製時，必須去除，才有利保存長久。

5內胚層（Endosperm）核仁、果仁（**Kernel**）：此層含有豐富的澱粉，占穀物83％的比重。蛋白質、礦物質、維生素的含量均非常微少。

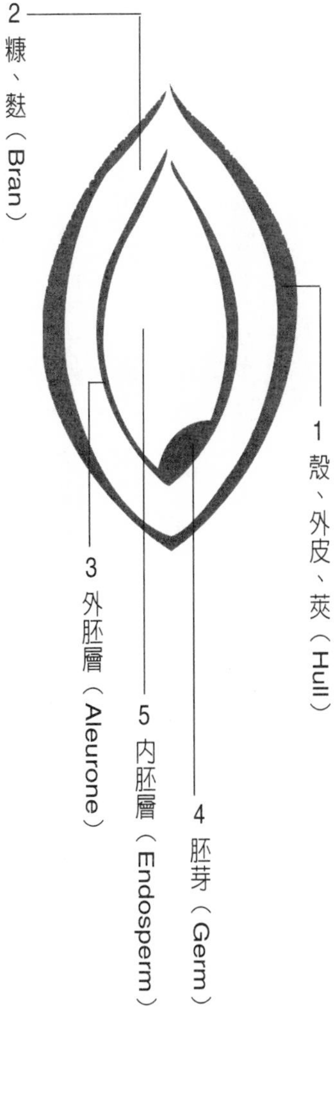

市售的白麵粉、白米，是指小麥或稻米的內胚層而言。傳統在麵粉廠製作過程中，機器一系列分工運轉，分門別類生產各種產品，如粗糠可以供應動物的飼料，胚芽提供麵包店及糕餅業者。

白麵粉除去胚芽、麩皮後，儲存時間可以拉長，長久保存，不會發霉，可以製成再製品，甚至行銷世界各地。它的缺點是，移去了麩皮及胚芽，使穀物的重要營養素流失殆盡，最後僅剩下澱粉的成分。

一般人不要皮、不要芽，只要中間白色，白米、白麵粉的部分，因此我們平常吃到的只是碳水化合物——澱粉而已。

吃麵包會讓人發胖，那是因爲麵包中添加劑的關係，如果麵包純粹用白麵粉做成是不會讓人發胖的。

一克澱粉只有四卡的熱量，而麵包中所加的奶油、瑪琪琳、膨鬆劑都隱含著高熱量。生菜中所加的沙拉醬「美乃滋」，兩匙的熱量就有四百卡，等於四碗飯。所以吃白米、白麵、青菜還是會令人發胖，原因是無形中吃了不自然的營養素，這些都會造成身體上的偏差。因此，穀物的可貴是在整顆的一、二、三層都沒有捨棄。

全穀類提供完美的低脂肪、高品質蛋白質，及複合式醣類，是我們每日熱量最重要的來源，應占75％以上。在這個世界上，食用未加工精製穀物的人民，極少見到腸道疾病、大腸癌、腸炎等。

相反地，工業高度開發的國家，精製穀物充斥的社會，文明病、癌症屢見不鮮。食品製造商因此利用工業技術添加營養素，放入白米或白麵粉中，例如加入鐵鈣維生素D群等。所添加的營養成分，比原來全穀類所含的還要多；而所添加的成分並非自然界所生成的，並且在精製加工過程中，原有的自然營養素失去了許多。我們要有這個覺醒：

精製穀物＋添加營養≠全穀類

要知道，食品在加工精製過程中所流失的營養成分，絕對無法以人工合成方法補回來。試想現代科技文明進步如此，有沒有辦法用人工製造出一粒米、一粒麥來。大自然所提供的寶貝，應當好好珍惜，不要以個人私欲短視濫用。破壞自然者，終必承受其苦。

吃全穀類，就是愛護地球，崇尚自然，也是維繫生命健康。穀物提供人類主食，切勿以十二～十六斤的穀類去換取一斤的牛肉，用大量的穀物飼養家禽家畜，再回過頭來吃肉、吃乳製品，如此既不經濟也不健康，同時也會破壞環境。

★從食物治癒力上認識穀類

治療與治癒並不相同。治療是一種醫療行爲，藉此以達到消除疾病的目標。治癒是一種逐漸康復，回復到原本健康自在、自然的狀態。譬如手臂上有一個腫瘤，用開刀手術法切除腫瘤，此爲治療。切除之處，有傷口，一直到傷口平復，回復到未生病前的狀況，則爲治癒。

全穀類具有治癒的能力。這在數千年前中國的醫書藥書中就有記載。穀物象徵和平、綠化、痊癒。如果能分析了解各類穀物的個別差異，取其特徵，調和穀物就有痊癒萬病的功效。

在我們每日飲食中，首先應當增強且加重各種穀物的比例，用穀類來平衡每個人偏差的體質，以期達到中庸和平，陰陽氣血調和，因爲食物爲最佳的藥物。

臨床上，可按中醫八綱辨證法，先分陰陽兩大綱，區別實虛、寒熱、表裡，或溼、風、燥證，再選用適當穀物調配。平常也可按四季的寒暖靈活調配，達到均衡的目標。

例如自覺寒冷，某些地方感到特定的僵硬痛點，腰背難挺立，喜食熱性食物。這是寒證，可酌量增加偏熱性的穀物，如燕麥、蕎麥等。如果自覺懶散、緩慢、全身沈重，病理上可能有水腫，或身體肥胖、痰多、粘液分泌多，出現囊腫、腫瘤等，此屬溼證。穀類選擇則以乾燥性爲宜，如小米、蕎麥、大麥、裸麥、野米、烘焙過的燕麥等。

蔬菜

★排毒淨化

蔬菜在酸鹼性上面屬於鹼性，最好要生食，尤其是葉菜的部分。如果是根莖類，煮熟也沒有關係。

在陰陽屬性上面，蔬菜大部分屬陰，是非常均衡的食物，裡面含有豐富的維生素B群和鈣質，而且鈣的含量遠比磷還高，它還有很多的纖維素、酵素。更重要、更可貴的地方是在它的葉綠素，它等於蔬菜的生命。

植物的葉綠素是植物的精、氣、神。有了這個東西，就能發揮淨化、再生、回春的功能。

葉綠素的結構和人體的血紅素一樣，只有中心原子的差別，葉綠素是以鎂爲中心，血紅素則是以鐵爲中心。所以，缺鐵性貧血的人只要多吃新鮮的綠色蔬菜，同樣可以從植物裡面得到新鮮的血，不需要吃鐵劑，貧血就能得到改善。

葉綠素是蔬菜的靈魂，它有淨化的功能，能純化我們的身體，把體內的毒素排乾淨。

我們攝食時順序要有先後，先吃點生菜，把口腔布置成爲鹼性的環境，這樣稍後再吃飯的時候，碳水化合物在這鹼性的環境裡，酵素就很容易分解，這餐飯就會愈吃愈甜，很好消化。最後用完這餐飯之前，再回來吃幾口生菜，讓口腔又回到鹼性的正常環境中，維繫健康。

★抗發炎

蔬菜的第二個好處是可以抗發炎狀態。

常常尿道感染、皮膚發炎或有濕疹的人要多吃綠色蔬菜，它本身可以治療消炎狀態。

糖尿病患有糖尿病腳、糖尿病手，如果傷口好不了，有時膝蓋以下都要犧牲、要截肢，這是因爲人體循環不好的關係。

我有一個病人，得了糖尿病，他伸出五隻腳趾頭有三隻是爛的，而且血管攝影一做，他必須截肢到膝蓋以下。他一聽到這樣的情形，跟他太太講：「我們回家，我不要做一個沒有腳的死屍。」我說：「阿伯，不要這樣想嘛！也不一定要截肢才有辦法呀！」「那你告訴我，還有沒有其它辦法？」「你要能接受啊！開始不吃肉！」從此他開始斷肉食。「還有，要吃生的！」「也好。」所以他很快的進入飲食改革的第二步──生食。

他太太每天打果菜汁、生菜汁給他吃，慢慢地腳黑掉的部分就開始紅潤起來，還長了新肉。從此去腐生新，所以不要小看蔬菜，它眞的有這種效果，能抗發炎。

★返老還童

第三個好處是大家都很期盼的「長生不老」。多吃蔬菜可以回春，能夠再生。蔬菜的再生讓我們青春有活力。可惜東方人不知道蔬菜的吃法，都用炒、煮、燙等方式，其實蔬菜最好是生吃。因爲，蔬菜本身已經非常滋養，它質地很嫩，經過一百度以上的高溫煎炒之後，會受到很大的傷害。

例如我們拿手指頭去鍋裡炸，一定會燙傷，同樣的蔬菜也一定會被燙焦，營養就失去了，哪裡還能淨化身體、讓我們青春、返老還童？所以，有些人每天吃青菜，吃得面有菜色、臉色蒼白，就是因爲把蔬菜給糟蹋了。蔬菜被高溫的油和水燙死了，維生素、礦物質都不見了，同時纖維素也遭受到破壞。所以，蔬菜吃得再多，最安心的方法不對依舊等於沒吃，而且還吃進很多的油和許多不健康的東西。

有人又問：「我們住在都市，要如何吃到新鮮的蔬菜？」這有很多簡便的方法。第一步就是學習發芽菜。再進一步就是開始種些比較需要在土地裡生長的菜。

我們能夠把握生食的部分不被農藥污染，最安心的方法就是在家種植蔬菜，這樣大都會的都市人也可以有不一樣的田園生活。從芽菜開始到種植一盒一盒的菜，不必很大，兩三坪就夠了，不僅一家四口人足夠食用，還可以分送給親戚朋友。

★生食防癌

第四個好處是生食防癌。

生鮮蔬菜含有大量維生素C、酵素及纖維質。當我們的食物，若含有防腐劑，或殘存硝酸鹽時，不論亞硝酸或硝酸鹽，若與蛋白質的二級胺相遇(多存於魚類、動物肉類中)，則會形成亞硝酸胺(又稱硝胺Nitroamine)。這是一個已知導致胃癌的致癌物。

由於豐富大量的維生素C可以阻斷這個反應，所以可降低食道癌及胃癌的危險性。

WHO(世界衛生組織)也呼籲大眾，應大量攝取生鮮蔬果，降低各類癌症的發生，包括肺癌、大腸癌、直腸癌，口腔癌，胃癌，食道癌，攝護腺癌及子宮頸癌，乳癌等。

又如β-Carotene(β型胡蘿蔔素)及類胡蘿蔔素（Carotenoids）其爲蔬果中所含色素，在深綠色及黃色蔬菜中含量極高。它們藉著攻擊自由基而阻止細胞癌化，屬於抗氧化劑的一種防癌機轉。

所以有機無農藥、化肥污染，這種天然乾淨的蔬菜，以每餐均能生食攝取，更具防癌的功效。

水果

水果是自然界中最優質的食物，沒有任何食品能像水果提供我們在攝取時的喜悅與祥和感。水果在食物分類中，屬於悅性、低壓力食物，因爲食用後能迅速提昇能量，心身舒泰。

世界上可供食用的水果超過三百種以上。

水果在大自然中，透過日光、水分、土壤進行複雜的生化作用。太陽的電力及磁波力，藉著土壤內有機微生物的分解合成，溫度、熱度與光線的轉換，孕育它成爲各種食物中原子（細胞）振動頻率最高的種類。換言之，它的能量能階最高。

★容易吸收消化

水果本身不但含有豐富的營養分，並且以最容易吸收及消化的形式存在。

它所含的蛋白質多半是氨基酸，脂肪多半以脂肪酸爲主，糖分多半以簡單的果糖爲主。所以攝取水果時，人們不需要再耗費太多能量於消化過程中。因爲它在達到成熟時，經過陽光的照射，所含的澱粉已逐漸轉換成果糖；而陽光與果樹本身的生命力量，相互結合得以完成這部分的工作。

成熟的果實，直接提供人們熱與能，人們不需要從體內再額外消耗能量去消化分解。

水果進入胃中，提供快速的分解及消化，並且快速地由胃部排空，送入小腸，再進入血液循環中。

如果這個消化過程攝取水果，則足以替人類節省許多的能量浪費（消耗），因此人們食用水果或炸雞漢堡，所生成的熱量，前者是淨得，後者則要考慮在消化分解吸收過程中，所付出的內在熱量。此外，前者是悅性、低壓力食物，後者則是惰性、高壓力食物。

水果著重本地當季所產。當它飄洋過海經過貨櫃幾個月的載運，很多營養素已經消失。

進口的青菜水果有時候整個被泡在福馬林裡保鮮，所以，進口的東西一定要去除果皮。雖然果皮本身最好，很多營養素都在其中，但選擇進口的水果就一定削除掉果皮的部分。

如果水果中的水果酸還沒有轉化成爲果糖，對我們身體就會有影響。

按季節性吃水果，既乾淨又清涼。我們要順其自然，夏天有夏天的水果，春天有春天的水果，要吃季節性的水果，不要揠苗助長。

水果是高鹼性的東西，它能夠調和我們的不平衡，酸性化的體質透過蔬菜水果就能夠中和。

有些朋友問我：「穀物是比較偏酸的，而我們需要的是弱鹼性的體質，所以我們不能吃飯囉？」這並不正確。雖然穀物偏酸，不過那只是一小部分，它整體的營養價值太高了，因此我們只要多攝取一些鹼性的東西就可以平衡了。像蔬菜水果都是高鹼性的東西，尤其是生食的蔬菜、水果，還能做清潔的工作，幫助消化和排便。

通常水果都是生吃，而且要吃成熟的。煮熟吃的水果則是拿來當做藥用。比如說，木瓜成熟的生吃，未成熟的熟吃。香蕉也是一樣，便祕的人用香蕉配合開水，馬上就有很好的效果了。

相反的，若是拉肚子的時候，拿生香蕉連皮切一切，或是整條拿去蒸熟，它會止瀉。這就表示說，食物經過不同的調理可以把它的性質改變，從寒改爲熱，從發散改爲收斂。

水果最重要的是水分、維生素C、維生素B和一些礦物質。如果煮了它，這些就消失殆盡，太愧對水果的特質了。

我們應該尊重它的生命，而尊重它就是要新鮮、成熟、生吃。所以水果不要買很多放在冰箱裡，這樣會失去新鮮也不盡理想。

芽菜

最後我們講種子，或者稱它爲「芽」。任何種子、穀物或是豆類，我們最好都浸泡它，甚至讓它發芽，這是最合乎均衡營養的原則。

因爲種子、豆類、穀物當它沒有發芽的時候，它是一種靜止的狀態，也就是它在睡覺、休息，它的能量很低。所以我們把種子、穀物、豆子浸泡，然後讓它發一點芽，這樣就是一個新生命的開始。

在發出芽之後，它已經有生機了，營養的結構也改變了，蛋白質就變成很好消化的氨基酸，碳水化合物變成很單純的醣，而脂肪也分解成脂肪酸。

另外它還溶出很多酵素，因爲它活了、動了、有了生命，也就是，能量做了很高的提昇。

有些人怕芽菜那種青草味，把它燙過、煮熟，那就太可惜、太傻了！我們應該要生吃，因爲生吃才能達到種子發芽的效果。尤其是有病的人更要在家中多多栽種芽菜，例如癌症、糖尿病、心臟病及家裡有慢性病的人，都該這麼做。

★希望的種子

在發芽菜的過程當中，可以學習到很多的事情。

本來一個枯槁的生命，覺得沒有生機，得了這個病，沒有希望。看到種子，好像跟你一樣也沒有生命，但是過幾天之後，它冒了芽，長高了，在觀看它生長的過程中，我們心裡頭就會起很大的變動。因爲它的能量會傳來給你，你會找到人的生機。因此一定要親自種植芽菜，可以看到自己生命的再起，看到生命的重新點燃。

如果照著以上的飲食法實踐，全身還是冰冰冷冷的，還能做怎麼樣的改善？那是因爲能量還沒有輸送到四肢，要再配一點稍微高能量的東西。

在我們的自然食物中，可以向大家推薦的既便宜又好吃的東西，我稱它爲——「三寶」。

第一是「胚芽」，小麥胚芽或糙米胚芽等，什麼胚芽都可以，因爲胚芽有很豐富的脂肪和維生素B群。

第二是好的油，就是「大豆卵磷脂」。

第三個就是好的「酵母」，例如啤酒酵母，也就是健素，它是蔗糖或穀類裡面提煉出來的。如果不吃酵母，可用麥麩或稻穀的糠來替代。如此身體的寒暖就得到協調，尤其是體質特別寒的人這方面要加強。

還有一個祕訣，就是海中的東西要多吃一點，例如海帶、紫菜、深海綠藻都含有高單位的礦物質，對我們身體的偏差有很好的改善。

總而言之，食物的鑽石組合加上三寶這樣的飲食讓我們沒有壓力，讓我們能夠自在，沒有人工添加劑，是完全的、沒有破壞的，這種飲食具有癒合的能力。

最後以一個例子做爲這個章節的結束：在醫療上有很多沒有效的病例，也就是當抗生素都無效的時候，該怎麼辦？

我有一個病歷，他是一位老醫師，七十三歲，開業至少有五十年了，因爲大腸疝氣，到醫院做手術。開刀之前照了一張X光片，醫生說有肺炎，因此開刀之後順便治療，打幾天的抗生素，醫生就讓他出院了。臨行前醫生告訴他：「記得要再來追蹤。」

一個月後，疝氣的部分沒有什麼問題，可是右手腕上長了兩個瘤，消了以後又冒出兩顆。到處看骨科、外科都說是筋發炎、骨膜發炎或肌腱炎，始終沒有好的療效，腫瘤也沒有消。他跑來問我，我一看這種情形就請教他再照一張X光片，我告訴他：「據我的判斷，應該是結核性的關節炎，也就是肺結核引起了肘關節、腕關節發炎，簡單地說就是結核腫瘤。」爲了慎重起見，我把他關節上的腫瘤做了切片，三天之後證實了我的判斷。

因爲他本身是位醫師，他告訴我自己會開抗結核的藥，到住家附近的醫院就近治療。他到醫院掛了胸腔科，胸腔科的教授看了他的肺部病變，就做合併治療，所以加上關節的病，他總共吃了四線抗結核的藥。

第二天，他全身像猴子一樣到處抓，表示他對抗結核的藥過敏，可是爲了治療一定要吃，於是又加了止癢的藥。醫生非常小心，告訴他：「既然藥物過敏，一定要將那味藥找出來。」然而一線一線退掉後，發現他對四線的藥都過敏，怎麼辦？這是一個更困難的問題。

正在減藥的時候，他發生了全身淋巴腺腫起來的現象，這時胸腔科的醫生告訴他：「這種到處都腫起來的現象可能是癌，我把你轉到血液腫瘤科，換另外的教授診治。」那教授一看，說：「那簡單，淋巴腫大就做切片。」於是又把他轉到外科做腋下淋巴切片。

淋巴割除之後，問題來了，切割的地方一直漏水不斷，也就是一直流出體液，整天整夜的流了將近三個星期，每天都沾濕三條以上的毛巾。

這件事情也讓外科教授很擔憂，因爲縫也不是，縫了又怕它腫起來，於是就用了引流管。

再看看切片，又像腫瘤，又不像腫瘤。對一個腋下一直流水、全身淋巴腺腫起、身體搔癢的七十三歲老人家，大家把他當做研究的個體，不能拿出一套辦法。那時他也沒有馬上和我聯絡，就這樣痛苦掙扎地過了三個月。

有一天我的老師情不自禁打電話來告訴我這些事，我很有自信的告訴他：「三天就教你不再流體液，而且教你的淋巴腺也都消掉！」他一聽到這樣，馬上跑來找我。我說：「你不要管我用什麼藥，你都得吃它。」他說：「我最討厭吃藥，我只賣藥！」我很不高興的告訴他：「這就是你的因果，你一生賣藥給人家，現在你就得吃這個藥，吃了你的病就會好，不吃就倒楣。」

結果兩天之後，他身上的淋巴液果眞不再流了，他高興得不得了，淋巴腺也都縮下去了，但是還是搔癢。

這其中是有學理的，因爲這些是抗原、抗體的反應，不是瘤在作怪，只要用適當的方法把它撫平就好了。但剩下來的問題是：他有結核，可是他對任何一線的結核藥都過敏，而且肝功能也遭到破壞。因此，我建議他回歸自然健康的新飲食，病症便會得到改善。

一位肺結核又有骨結核的病人，卻在這套飲食中，完全恢復了健康。

食物的鑽石組合就是回到原點的飲食，也就是傳統的飲食，它會治療各種疾病，甚至癌症。尤其被醫師宣判無效的病人，只有一條路走，那就是走回自然飲食，配合運動和身心的調理，就會恢復，健康的活下去。

這種力量不是我們能夠想像的，非常神奇，可是卻很容易實踐。健康要靠自己締造，從我們的家庭、廚房開始動手做，這樣才紮實。因爲這裡面有你的愛心、能量和用心，這樣一碗飯所帶來的營養價值就是不可限量的。

食物本身就具有癒合的能力，但是要好好地選擇與適當的調配。希望大家把這個傳統、正確、有愛心、有信心、有慈憫心的飲食法帶給周遭的人，這樣就有無限的生機、健康、快樂與自在。

開啓健康的三個原則(Three Keys to the Treasury of Health)

身體淨化需要三個步驟：捨肉食、取素食；增加生食；酌量斷食。素食、生食、斷食，這三把鑰匙，可以讓我們打開身體健康的寶藏。

我就像一位鑰匙的打磨工人，希望這三把鑰匙交給大家，大家不要把它藏起來不用，否則就太可惜了。

請試著一把一把開開看，或下很大的決心天天都去開，寶藏就會源源不絕地來到你面前。

請大家要有信心地放手去做，一個星期、兩個星期，效果就看得見了。

我懇切地告訴大家，不論我們在什麼年齡，不論有病或無病，這三件事都必然要去實行，做得愈徹底，愈能夠回轉。

「回轉」就是轉退化爲進化，轉老化爲年輕，即使頭髮白了也能轉爲黑的，因爲眼耳鼻舌身意六根都能格外通達舒暢。

尤其老的時候，耳朵不會聾，眼睛也看得很清楚，能夠很自在地活到我們該活的年齡，我們都會有病痛、都會死去，但能夠很清淨很自在地離世。

素食

★動物性食品的缺失

1無形的毒素

我的姊姊養了一隻小狗，因爲牠的眼睛藍藍的，所以叫牠Blue（藍色），其實是眼睛瞎了的關係，所以變成藍色的了。

每次坐車的時候，牠的座位都在最後面。有一天上車之後以爲牠已經就位，就把窗門關上。後來聞到一陣非常臭的味道，不是人的屁味，是一股絕對難以忍受的臭味，那不是平常能夠聞到的臭氣。

接下來就聽到Blue的哇哇大叫。原來牠的頭在窗外被門給夾住了，所以牠先放屁，才大叫出來。

這跟我們談健康之道有什麼關係？

家裡有養狗的人不妨聞聞看，狗的屁味非常的臭，但牠們平常不會放屁，要面臨到生死交關的時候才會放出來。

那是一種毒氣，是充滿了恐懼、怨怒，從身上排出的氣體。當時他們還把Blue的肛門撥開來看，發現牠不但屁滾尿流，肛門口還留有一些東西——那並不是糞便，是一種分泌物。

我們想想：當牛、羊、魚、豬等動物被殺害的時候，牠們放出了多少毒氣？人們利用調味、油和高溫就將這些毒素掩飾過去，擺在餐桌上面還覺得很香，其實裡面有很多我們不知道的毒都被吃進去了。一年、兩年、十年、二十年之後，就會發生很多奇奇怪怪的病。

眾生面臨被殺害時所釋放的毒，有些有形，有些無形。所以蔬果穀芽飲食法的基礎，對我們絕對有益。

我有一個病患是十六歲的小孩，他因爲腳痛，後來發現得到骨癌。他的家庭非常富裕，週末總是出去烤肉、釣魚、烤蝦，大吃一餐。然而孩子得了骨癌之後，全家愁雲慘霧。

孩子生病就等於全家生病，現在孩子的飲食改變後，全家就一起轉變。因此，也都毅然地斷了肉食，開始進入清淨的素食。

很快速地，大約三個月左右，他能夠從床上爬起來，可以很自由地到學校上課。腳不疼痛了，腫瘤也縮小了，他自由行動，父母非常的高興。這就是透過反省過去，來改變身上的腫瘤。

2有形的毒素

我們攝取動物性與植物性食物的時候，在選擇之前，需要先了解

「食物鏈」。

現在農藥、毒藥、殺蟲劑遍布整個環境，而這些污染第一個影響到的就是植物，所以植物是第一個受害者。

它受害了之後，穀類、蔬菜，又被牛、羊、豬、雞吃進去，這些污染物就進入動物的身體，由於這些毒素大部分都是脂溶性的，所以大量儲存在牠們的脂肪組織或肝臟器官裡。然而這些毒素會停留、分布再濃縮，所以，動物性脂肪儲存愈多的地方，就是污染物質愈高的地方，也就是含毒量愈高的地方。

人類是食物鏈最後的終結者，我們是最後來承接這些東西的。但我們也可以有其它的選擇，端視我們選擇的是食物鏈中最後的動物，或是最早的植物。要知道，經過食物鏈之後，累積的毒素已經是原來的數千、數萬倍，如果在攝取時沒有明確、智慧的選擇，我們等於吃進了很多毒物。

大家不要擔憂：「蔬菜有那麼多農藥污染，我們怎麼可以吃呢？」其實吃一口蔬菜，遠比吃一塊肉所得到的毒輕得太多太多。

何況動物性的肉不僅是這些毒素而已，還有很多添加劑，包括防腐劑、安定劑、著色劑、添加物、生長劑。尤其大部分的紅肉、豬肉、牛肉有很多荷爾蒙，這都是促成生殖器官癌病變的重要因素。另外家禽類、蛋類也充滿許多殘存的抗生素。

醫藥界裡百分之五十以上的抗生素都是賣給家禽畜養戶。飼養畜生時，因爲怕牠們彼此感染而用了很多抗生素，它就會殘存在蛋、奶、肉裡。而我們再拿回去吃，無形中就吃下了很多，所以避得了明顯的過敏原，卻避不了這些隱含的。

有些病人告訴我他對某某抗生素過敏，我會避免開這些藥給他。但是下一次再來的時候，他又問我：「醫生，我不能用抗生素，爲什麼妳還要用呢，因爲我又過敏啦！」我說：「我沒有用啊！你是不是吃肉了啊？」他說：「對啊！」所以，要如何避免？不要吃肉、魚、奶、蛋就對了！

此外飼養動物，爲了快點長大，都加了很多荷爾蒙，以前都是採放牧的方式，現在則是有範圍的飼養。把野外放牧的肉和圈養的肉拿來做分析，單單脂肪這一項，野放的在百分之四以下，圈養的卻在百分之四十以上。

所以難怪土雞肉比較好吃，飼料雞軟啪啪的顯得無力，這就是脂肪太多的緣故，證明飼養方式不同就有很大的差別。

野放的脂肪是有益的，因爲不飽和脂肪比較高。飼養的肉類則都是對我們有害的，因爲飽和性脂肪比較高，這裡面沒有所謂有益的脂肪。

美國有一項研究，將對象分成三組，一組是肉食者，一組是奶蛋素者，一組是蔬果素者。這三大類針對體內殘存農藥的比例歸納分析，其結果爲15：5.5：1，也就是吃純素的人，即使受到農藥的污染，也只是肉食者的十五分之一而已。

所以我常對一些比較有覺醒心的人說：「在此二十世紀末，進入二十一世紀的時刻，如果還吃肉類，就是以毒物來毒害自己，並承接最後的毒素，這是很不明智的。不談宗教這種高尚的理論，只就科學，醫學，疾病現實面來說，我們應該要有理性的抉擇。」

有些人聽說紅肉吃多了會得心臟病、高血壓、心肌梗塞，所以改吃白肉。有的人雖然了解素食的重要，可以放棄牛肉、豬肉這些紅肉不吃，但是白肉不吃一點就覺得精力不夠，而且他也不認爲白肉有什麼害處，像魚肉、雞肉、蛋……等，吃這些到底有什麼壞處？

我們拿魚來做例子：魚是白肉的一種，魚肉的污染來自於大自然，屬於海洋污染。海洋是地球最大的垃圾場，含藏大部分汞或其它重金屬及有毒工業排放的化學物，這些毒害會傷到腎臟與神經系統，雖然是白肉，卻帶有很多的毒。

★從營養的觀點

素食會不會蛋白質攝取不夠，不夠營養？其實，植物性蛋白質並不亞於動物性蛋白質，它是高品質的蛋白質。然而很多醫生、護士、營養師都還沒有這種概念，他們還存著動物性蛋白質才是高等蛋白質的觀念，那眞是最大的錯誤！

想想看，就算動物性蛋白質是一流的蛋白質，但附在上面的脂肪是一流的嗎？這些是我們所需要的嗎？每隻動物在被殺害時，因爲恐懼、瞋恨分泌到肉裡的毒，我們肉眼看不到，但導致許多治不好的病，所以想要健康，都應該從「斷肉食」開始。

同時，在攝取蛋白質時，要有個認識：蛋白質如果超過每日熱量的百分之十五，會有害處。

首先，肝、腎的負擔會大量增加，肝會工作得很辛苦、很疲累，腎臟則必須處理過多的蛋白質，努力地把它排出去。腎臟在長期蛋白質過量之後，組織會變大，大而無用就衰竭了。

每個器官都是如此，心臟擴大就衰竭；肝臟擴大就形成肝腫大，腫了之後就萎縮、硬化。

腎臟原本約九公分，但是蛋白質過量使血流量增加、變大，它反而要很費力地工作，所以會逐漸萎縮，這就是典型的腎臟病。因此，所有疾病的起因裡，食物是很重要的角色。

蛋白質在生化功能上，因為有硫鍵及磷鍵的關係，屬於酸性食物，分解到最後會變成磷酸或硫酸。這些酸到了腎臟後，因為腎臟有調節酸鹼的功能，所以需要鹼性的物質來中和。

而身體裡大量的鹼是鈣，骨頭是身體的鈣銀行，因此會從骨頭拿取鈣來中和，否則蛋白質太多、酸質很高會造成酸中毒。此外，腎臟為了維持酸鹼平衡，就必須處理這麼多蛋白質代謝之後的酸質，所以需要更多的鈣來加以中和。

這就是爲什麼蛋白質攝取愈多，我們的鈣質流失就愈高。而這些流失的鈣質從腎臟流到小便中，所以蛋白質攝取太多的人會腰痠背痛，並且會覺得疲倦，長期以後背部則會痛得很厲害，小便混濁，甚至泌尿系統的結石也會增加，身體則會產生不應該有的鈣化情形，因爲鈣從骨頭大量流失的關係。

然而，堆積在關節，就變成退化性關節炎；堆積在血管，血管會鈣化、硬化；也有堆積在腦部的；而堆積在晶狀體的，即成爲白內障；另外也會堆積在任何器官。

當一個人有白內障，眼睛昏花，就被說成是「老」，而蛋白質吃得太多也會讓人早衰，早衰就是老化，所以不要吃太多的蛋白質，否則會催促我們老化、體弱多病。

蛋白質也是骨質疏鬆症很大的元兇，所以長壽者的祕訣就是「少吃肉、多運動。養身以動、養心以靜。吃得少、又清淡。蛋白質、脂肪的攝取要減少。」

現代人不要擔心蛋白質攝取不夠，而要擔心的是蔬菜吃得不夠多。

動物性蛋白質的分子太龐雜，而且不屬於我們人體，是異類。在分解過程中，如果我們的辨識功能不能發生作用，會被當做攻擊的對象，因此就會發病。所以膠原病、風溼病、氣喘或過敏都是這些無法分解的蛋白質被當做引動者，在溼度升高、空氣變化或特別因緣時被誘發出來。

有的孩子打減低過敏的針，十年的過敏仍不會好，因此還是要減少牛奶、肉類及蛋類，多吃有生機的東西，「半數以上增加生食」，然後排泄會隨之增加，把累積十幾年的廢物排除出來，這種方式絕對會有起色。

腎臟病、尿毒病人常常被恐嚇：「洗腎的人絕對不可以再吃素，吃素體力會愈來愈弱，要吃動物性蛋白質，因爲它是高品質的蛋白質，具有完整的蛋白質結構。」這些話乍聽之下很對，爲什麼？因爲蛋白質有必需氨基酸八種，而肉類的內臟完整具足，所以吃這些東西就能很輕易地取得。

問題是，這些肉類除了含有必需氨基酸外，還附帶什麼？

任何一種肉類都沒有複合式碳水化合物，它的脂肪非常高，雖然可以補足我們高品質蛋白質，但是卻阻塞了我們的血管，想一想哪種好？所以很可悲的是，尿毒病人經過洗腎之後，不是死於尿毒症，多半死於心臟血管性疾病或感染症。

尿毒病患認爲，吃進去的蛋白質廢物透過洗腎就可以把它清洗出去，而不知道血管的變化是持續性的。吃這麼多白肉、紅肉、魚肉，那些脂肪對血管組織的傷害是不回頭的，所以，他們的血管會塞住，腎臟也無法清洗。

因此腎臟病人最大的殘害就是這些高蛋白，雖然動物性蛋白質是完整蛋白質，但絕不是高品質蛋白質。

素食者只要好好調配，絕對可以避免必需氨基酸不足的現象。因爲植物所提供的氨基酸不是八種都有，但只要A＋B搭配起來有八種就好了。所以爲什麼要拿肉類來解決一切呢？只要會調配就可以達到均衡。還有，素食者絕對要生食，爲什麼？因爲生食提供了B_{12}的問題。

素食者經常被非素食者駁斥的地方，就是：「素食是不營養的，因爲維生素B_{12}攝取不足，造成貧血。」其實食物裡面也有維生素B_{12}，如泡菜、味噌、回春水、生菜、深海綠藻都能讓我們的血液再生，都含有豐富的B_{12}，攝取之後問題就解決了。

★從生理結構的觀點

哺乳類動物有很多種，像人有三十二顆牙齒，但只有四顆尖銳的牙齒是食肉用的，其它的都是用來切斷、碾磨，和虎豹犬貓的勾形齒不同，甚至牙槽的形狀也不一樣。

我們的牙齒除了上下顎可以做垂直運動外，還可以做左右移動，而且左右移動比垂直的機會還要多，因爲左右移動就是在碾磨食物。肉是要靠垂直的切割，所以老虎等動物吃東西時都沒有左右碾磨的動作。

再看看我們腸子的長度，貓的長度與脊椎骨是三比一。我們和牛一樣，是七比一。所以肉類在貓的肚子裡不會停留太久，只經過身體的三個長度就可以排出來，因爲在體內蓄存太久會發酸、發臭和發毒。

但我們不一樣，我們的腸子有七倍那麼長，如果吃下的肉經過三天、五天甚至一個星期才能排出，那麼回收的毒素到底有多少？

按照人體結構，加上動物在被殘害時所發出來的毒素，都告訴我們：「肉食不是有利於我們的」。

★從生態保育的觀點

以統計學來說，生產一斤牛肉足夠讓十二～十六個人換取麵包，也就是養一斤牛肉需要十二～十六個人吃的穀物。如果換成東方人的白米，則可以養十多個人。

在能源危機、講求自助助他、救濟貧困的時候，我們更應該要素食。因此養十多個人和養一個人，哪一個划算？哪一個經濟？

另外，生產一磅牛肉需要消耗五十平方呎的熱帶雨林，而五十平方呎的雨林可以放出五百磅的氧氣。畜牧業廢水是水污染的主要來源。少養一頭豬，可以減少相當於四到六個人的廢污水排放量。

又根據調查，全球有十二多億頭牛，每年產生約一億噸的甲烷（沼氣），促成地球溫室效應。所以吃肉不但對身體沒有積極的利益，反而破壞大自然、傷害動物。

地球只有一個，能夠少吃一塊肉就是舉手之勞做環保。現在的環保人士提倡環保，我要問他：「你是不是素食者？」若是素食者才更能講這一句話。

口中說「我是環保人士」，卻又拿大塊大塊的肉來吃，並不是眞正的環保。

其實素食就是保護動物、愛護地球、不去破壞雨林、愛惜資源。雖然我們沒有宣稱自己做得是環保工作，但這就是在實質上參與環保。

人類許多疾病均起因於體內酸度過高，追本溯源，就是含酸性的肉類及乳製品攝取太多的緣故。然而每人每天每餐少吃一塊肉，你我都可以辦得到。如此不但爲自己健康著想，也爲環保盡力，何樂而不爲？植物性蛋白質的品質絕對不輸動物性蛋白質，甚至超過數千、數萬倍。

飲食之外，我們應該還要考慮我們對環境所應負的責任和道義，「少吃一塊肉，就是舉手之勞做環保」，這是我一直強調的，也希望重視它。

健康的建立從「飲食」開始，在飲食的基礎上我們不但關懷自己，還關懷他人、關懷眾生、關懷地球。

正確的飲食是回歸到四大金剛，從四大金剛建立我們自然、自在、清淨的飲食觀。

飲食觀並沒有宗教的限制，所以不是只有念佛之人才要這麼做，你可以放大膽子介紹給所有沒有宗教信仰或任何宗教信仰的人。我提倡這種飲食方法，也因此結交了很多神父、摩門教徒、基督教徒和一貫道信仰者。

從此你可以給人家一個訊息：「吃天然素食的人非常健康，能受到別人的讚嘆，吃天然素食的人最健康，沒有畏縮。」

★吃蛋的壞處

蛋除了營養之外，還有什麼不爲人知的事實？

蛋黃與蛋白其實是有差異的，不過到底要不要吃蛋呢？

我小時候最愛吃蛋，那時不知道這就是埋下後來過敏病源的原因。後來不再吃蛋後，鼻子與皮膚的過敏也自然消失了，不藥而癒。

蛋的酸質（尤其蛋黃的部分）非常高，蛋白提供了蛋白質，然而蛋的所有膽固醇都在蛋黃內，所以膽固醇高的人最好不要吃蛋。

攝食蛋還有一個問題。如果我們到養雞場參觀，就知道，業者必須在飼料裡添加種種防止雞瘟的抗生素與促進發育的荷爾蒙。這些東西都聚積在蛋裡，所以，我們吃的蛋外型很大，都是超大型的。

而這些雞種從出生到死亡，一生的工作就是準備生蛋，牠們彼此生活在極爲狹隘的空間，彼此啄來啄去，不平的情緒也點滴匯入精華的「蛋」中。

販賣者只看到蛋的營養，並沒有把負面的影響告知我們：蛋裡面殘存多少農藥、荷爾蒙、抗生素？所以，消費者必須了解後面還隱藏很多很多對我們健康危害的事實。

此外，蛋的生處不淨，也是我們攝食時要加以考慮的。

食物的營養與否不是只決定於蛋白質、脂肪、碳水化合物的含量，如果它們含量很多，但是質不好又有什麼用？培養一個人尚且要重質不重量，我們對於所吃的東西何以只重量不重質？這豈不是顛倒？

所以評估營養、衡量食物就像看一個人、看一整個世界一樣，不要呆板的、刻板的、僵化的用一種人云亦云的方式！

★重建對牛奶攝取的正確認識

我有個侄兒，他兩歲的時候氣管很糟，幾乎快要得到氣喘病，三天兩頭就被送往醫院。

醫生告訴我弟弟說：「你兒子的氣管很弱，不要讓他太操勞！」回到家他告訴我這句話，我說：「他才兩歲操勞什麼？一定是你給他吃的東西讓他太操勞了！」

他不只氣管弱而已。有一回我們從美國回來，他的兒子僅在一、兩個月就變成一隻小花貓，這一塊、那一塊此起彼落的皮膚過敏，兩個多月都沒有痊癒。因爲氣管炎、氣喘、皮膚炎的關係，小孩煩躁不安，夜裡沒辦法睡覺，也弄得全家不安寧。這一下他就眞的要問我的意見了。

我說：「怎麼樣？要不要給他斷奶？牛奶就是使他過分操勞的原因，你不要讓他太操勞，就要改吃五穀飯、水果和蔬菜。」

飲食改變之後，過敏的現象很奇妙，從臉、上肢、膝蓋、腳，然後全部消失掉。大概半個月的光景，沒有吃藥就全部好了，連帶腸胃的症狀也沒有了。現在他四歲，活蹦亂跳，壯得像一頭小牛。他是一個天然食物的實踐者，雖然年紀那麼小，不過卻可以講一套「健康之道」的觀念。爲什麼？因爲他親身實踐過，有自己的體會。

而別人吃炸雞、薯條時，他也會勸他們不要吃，他說：「哥哥，你不要吃這個，這些是不健康的東西。」

1人奶與牛奶的比較

・人奶含有兩種物質成分，是牛奶所缺乏的。一是卵磷脂，屬於磷脂質。一是牛膽質，屬於一種氨基酸。這兩種物質參與了嬰兒腦部的發育，因此人奶攸關嬰兒的智能，豈是牛奶可以取代？

・在礦物質方面，牛奶缺乏碘、鐵、磷、鎂，人奶則含量豐富。

・人奶味道較甜，因爲碳水化合物含量較牛奶高。

・牛奶的蛋白質，主要以酪蛋白爲主，人奶則以白蛋白爲主。酪蛋白是一種大型、堅硬、緻密、極困難消化分解的乳凝塊。它適合含有四個胃結構的牛，利用不斷反芻消化分解，方能完全消化吸收。牛奶所含的酪蛋白及脂肪，在人的胃中，會與所有食物進行極不適當的組合。它會形成凝乳，凝乳會形成一種把胃中殘存食物包圍起來的作用。這種隔離現象，造成孤立狀態，會阻礙其它食物的消化，直到凝乳被分解爲止。

・牛奶總蛋白質含量高，爲人奶的三倍。

・人奶中有兩種氨基酸：胱氨基酸及胰化氨基酸，它的含量爲眾奶之上，提供嬰兒極佳的營養分。

・牛奶中含的乳糖與酪蛋白均得仰賴特定酵素的分解。乳糖經由乳糖酶，酪蛋白經由凝乳酵素分解成較單純的成分。不過人類僅在嬰兒期（稚齒尚未長成以前）胃內才含有凝乳酵素。三至四歲時，乳齒已成長完備，這兩種酵素就會從消化道中消失，終其一生不再分泌。此時，應當停止使用乳類製品，開始餵食固體食物。否則，將埋下許多痛苦的病兆。

・牛奶是發育中小牛的食物，小牛出生後飲用牛奶，促使骨骼及身體重量急速發育，每個月增加一倍（出生後前三個月都是如此），但腦部發育少且慢。相反地，人類嬰兒的發育，身體成熟緩慢，腦部卻以最快速成長，超越所有動物。小嬰兒需要六個月的時間，體重才會增加出生時的一倍大。小牛肢體骨骼快速成長，所以需要大量的蛋白質。而嬰兒腦部的發育勝過肢幹，需要卵磷脂及牛膽質等特別物質的輔助。現在常見如十二歲的外表，卻僅有八歲智能的內涵。高大的軀幹，是牛奶等高蛋白質所造成的，但相對地腦部發育，智力啓發卻大不如前！

從以上的分析顯示，新生兒至六個月間，最好以人奶哺乳，如此腦部發育及營養狀況才能健全。六個月以上至幼齒長成期間，可以牛奶替代。三歲以上，或幼齒長齊後，則應放棄牛奶的攝取，以天然穀物、豆類及蔬果等取代。

2攝取牛奶與疾病的關係

・牛奶與乳類製品，含有至少二十五種以上不同成分類型的蛋白質（異類蛋白質），這是造成人類過敏反應的重大原因，甚至自體免疫疾病，也與它有關係。

・牛奶及乳製品爲食物過敏的元凶。

・過敏反應幾乎不曾見於餵食母奶的嬰幼兒。

・如果母親是乳類製品的大量消耗者，過敏反應會透過奶水的餵食，造成嬰兒腹痛等疾病。

・消化性潰瘍的人，假使攝取乳製品，常會惡化。因爲乳製品中含有高濃度蛋白質，蛋白質的消化需要靠胃部分泌更多的胃酸（主要是鹽酸）及消化酵素，方能分解。一般以爲胃潰瘍應該多喝牛奶，令胃壁形成一層膜抵抗發炎及幫助潰瘍癒合，這是錯誤的。

・神經醫學上的多發性硬化症，它的發生率與孩提時代攝取過多的乳製品有關。吃人奶的人少見罹患此病。

・成年人的靡爛潰瘍性大腸炎、兒童經常發作的急性扁桃腺炎、慢性鼻竇炎、淋巴腺發炎腫大、慢性中耳炎等疾病，不論患者年齡多大，只要停止食用牛奶及相關的乳製品，短則一個月，長則三個月，就可以得到非常神奇的改善與效果。

・許多疾病尤其是甲狀腺腫大的形成，及甲狀腺功能失調，它們除了碘代謝與荷爾蒙因素以外，都忽略了直接從牛奶中所攝取的酪蛋白。

3 攝取牛奶無法阻止骨質疏鬆症

一般民眾，甚至許多營養專家、醫護人員、政府衛生教育人員誤以爲多喝牛奶攝取足量的鈣質，可以杜絕骨骼疏鬆，強化骨骼。在在宣導強調補充蛋白質，補充鈣質，多喝牛奶，多攝取乳類製品，年輕人可以強化骨骼，老年人可以揮別骨骼疏軟。但爲什麼骨科門診及病房中，仍舊有許多不愼扭傷或滑倒，就造成骨折的病人呢？

美國研究飲食與疾病關聯方面權威之一的麥都果（Dr. A. John McDongall）醫師，曾做過一項全世界各地區人民攝取鈣質與骨質疏鬆症的大型研究計畫。經過他多年的研究調查，提出幾個事實，以茲參考：

．乳類製品販售的基本理由在於鈣質的提供。事實上，世界上有許多國家的人民，他們的飲食中並沒有乳製品存在，也未面臨骨質疏鬆的侵害。而人類鈣質的缺乏，導因於飲食攝取鈣質不足，也極爲有限。反而攝取的蛋白質愈多，骨質中流失的鈣質也會愈多。

．血液中鈣的濃度，不能代表骨骼鈣質流失的程度。

・保持體內鈣質正性平衡，維持骨骼硬朗，根本政策是改變飲食內容，減少每天攝取蛋白質的量，不是增加鈣質的攝取。

從世界各地蒐集的資料顯示，亞洲及非洲社會，在工業大事發展前，牛奶是非常罕見的食品，當時他們都具有堅強的骨骼及堅固的牙齒，所謂富裕社會的文明病，極少發生在他們身上。如非洲班圖（Bantu）婦女，她們的健康狀況就是很好的例證。在她們的日用飲食裡，從來沒有牛奶。

她們鈣質的來源取自蔬菜，每日提供二百五十～四百毫克，鈣質的吸收量遠不及西方社會婦女的一半。

班圖婦女，一生當中平均生育十個子女，每個孩子都是親自哺乳十個月。即使鈣質的流出及攝取相對性低，骨質疏鬆症（多數骨頭表現薄又脆弱）的婦女，也幾乎不曾見到過。

相當有趣的是，班圖婦女移民或遷徙到其它西方國家，並且改變她們本有的飲食狀況，以文明飲食（所謂高蛋白質，高糖分，高油脂，高鹽分，營養豐富飲食）爲主後，骨質疏鬆症及牙齒的毛病，就變成稀鬆平常。

骨質疏鬆症的發生率是一個很理想的指標。代表任何一種文化背景社會中，骨骼鈣質存留的狀況，間接反映飲食營養文化。

在醫學界公共衛生學家，對全世界做廣泛研究後，顯示骨質疏鬆症最常見的國家爲美國、英國、瑞典、芬蘭，他們也正是乳類製品消耗最多量的國家。相對的，骨質疏鬆症極少見於乳製品消耗量最低的國家，如亞洲及非洲。

在美國受到骨質疏鬆症侵害者，大約有一千五百萬至兩千萬人口，美國人民的乳製品消耗量也是世界第一位。平均每位男子、女子、小孩，一年的總平均消耗量約爲三百磅。由此顯示飲食中鈣質足夠與否，並非骨質疏鬆症的誘因，它眞正的原因與蛋白質消耗量的多寡有直接的關聯性。

愛斯基摩人給我們很精采的範例，說明蛋白質效應與骨質中鈣的存留，兩者間的關係。愛斯基摩人因爲地理環境使然，他們的飲食含有全世界最高的蛋白質：每天二百五十～四百公克，取自魚、海象、鯨魚等；鈣質攝取量也是世界最高：每天超過二千毫克，取自魚骨頭及肉類，他們的骨質疏鬆症發生率是世界之冠，平均二十歲不到，彎腰駝背的人比比皆是。

相對的，非洲班圖人民，每天蛋白質僅四十七公克，鈣質僅四百毫克，未聞有骨質疏鬆症者。

由此再次說明牛奶及其它乳類製品（包括乳酪、奶油、冰淇淋、肉類等），飲食中含有高量（高濃度）的蛋白質，是造成骨質中鈣質大量流失的元兇。

素食者倘若蛋白質攝取過量，也會造成骨質軟化，只是對於骨骼，植物性蛋白質較動物性蛋白質，更有保護作用。其中理由乃是牛奶、乳類製品、肉類、蛋、魚類，除了蛋白質外，還有其它會促成骨質疏鬆症的因素—就是酸性物質比例太高。爲了保持血液酸鹼平衡，維持弱鹼性，骨質必然要游離（所謂抽取）更多的鈣質，以達成此目標。

在此特別提醒素食者及素食者父母，蛋白質平均攝取量絕無缺乏之憂，千萬不要擔憂自己或孩子沒有足夠的蛋白質，而加倍補充大量的牛奶、優酪乳、乳酪及蛋。因爲得自乳製品額外的蛋白質，勢必造成骨骼內鈣質及其它礦物質流失體外，成爲身體負性鈣平衡。

除了大量蛋白質攝取，會造成骨質沖刷外流，缺乏運動、停經、喝汽水可樂（碳酸、磷質含量太高）、吃加工精製食品、過量的鹽及其它酸性食物等，都是骨質疏鬆症的致病因素。

長期的腰痠背痛、疲倦、骨頭痠軟無力、牙齒鬆動、齒齦退縮、容易扭傷、閃腰、骨折，就是代表骨質中鈣質及其它礦物質的流失，此刻應當重新檢討我們的飲食，減少蛋白質、魚肉類、乳類製品攝取，以便重建眞正的健康。

4人類應當盡早放棄乳製品

·巴斯德消毒法的害處——牛奶一無可取

牛奶的加熱方法是「巴斯德加熱法」或「巴斯德消毒法」，它加熱到華氏一百四十五度（相當於攝氏六十二度）三十分鐘；攝氏七十二度十五分鐘，就完成了消毒殺菌。然而還有很多的細菌還沒有被消滅。

加熱後的牛奶或乳酪等，改變了酵素性質。酵素及蛋白質、脂肪的結構成分，加熱後會形成不穩定物質。而且牛奶加熱後，會破壞活性酵素系統，例如胱氨基酸、胰化氨基酸、乳糖酶等。其它維生素與礦物質，也大多數摧毀殆盡。

再者，加熱後蛋白質會凝固（凝乳），形成堅硬的酪蛋白，連有益腸道的乳酸菌也遭到破壞。最後，牛奶變成非常難以消化，容易引起過敏，對人類有害無益。而這個消毒法也不能完全排除毛髮、灰塵、花粉、黴菌、昆蟲、肥料等環境的污染。

經過發酵的乳製品，如乳酪、酸乳酪、酸乳等，是偏酸性食物，理應避免。如果眞要攝取，可使用少量生的，無添加鹽的乳製品。

．毒性物質殘存的考量——毒物入體難除

現代畜牧限於空間管理經濟效益，採取限地集中管理。爲了避免密集式畜養造成傳染病意外，所以於飼料中添加抗生素及殺蟲劑。而爲了促進肉質肥美，乳汁增產，所以添加生長促進劑及荷爾蒙。

這些化學品、添加劑，會流入牛奶中。殘存的毒性物質，也會隨著人類攝食而進入人體。

這些羊群、牛群沒有放牧的，都擠在很小的房間內。一邊吃飼料，一邊排便，牛糞在地上被踩來踩去，如果旁邊有一個牧童正在擠牛奶，一不小心踩的東西掉進去，被污染了，我們看得到嗎？

·均質化乳製品的傷害——心臟病變增加

均質化（Homogenization）是乳製工業中的製作過程之一。它會破壞黃嘌呤氧化酵素（Xanthin Oxidase），影響血管壁失去原有的平滑性，誘發脂肪物質沈澱，凝聚血小板或崩解的血球等，進一步造成瘢痕、粥狀化，最後形成血管硬化，管腔狹窄。

這是美國人罹患心臟病的主要原因。

芬蘭乳製品也採用均質化處理，所以心臟病發生率極高。極少用均質化製乳的法國，人民心臟病比率較美國明顯降低。

·合成維生素D的添加——無形危害難測

維生素D（Irradiated Ergosterol）是經由放射性處理過的維生素添加劑，多年來一直被使用於添加入商業用乳製品、其它食品，及常見合成性多種維他命丸中。

爲什麼要添加維生素D？因爲過去畜牧業以野外放牧方式爲主，牛羊一在戶外吃草，天然的維生素D及胡蘿蔔素，可以透過陽光照射在體內自然合成，再從擠出的新鮮乳汁中製作成奶油（尤其是日照豐富的夏季，製成的奶油爲一種天然的鮮明黃色成分）。

隨著野外放牧時間減少，所製成的奶油，在品質及維生素D含量上，皆隨著顏色退去而減少，最後製乳業者只得添加黃色色素，及放射性維生素D，以補充不足。

一九三〇年代，發現懷孕時攝取添加維生素D的牛奶，胎盤有鈣化現象出現。維生素D的危險性，逐漸爲人所了解。

數年前，在英國因爲不正常鈣質代謝，導致新生兒死亡，發現與過量添加放射性維生素D有關。因此英國已禁止乳類製品添加放射性維生素D成分。

近年來乳製業者，又以合成性維生素D_3，取代放射性維生素D_2爲添加物。對人類健康的影響利害尚不可知。

總之我們要覺醒，正確的健康飲食，第一步先要斷除二十世紀的三大毒害——肉、蛋、奶。

生食

生食除了產生新的體能，帶來需要的能量，還能去除污腐，把體內的毒素、廢料排除，這叫做「去腐生新一次完成」，是生食的極大好處。因此生食就是讓我們去除我們的汙垢、垢染。

如果我們身體有很多廢物，要懂得方法清除它，而不是怎麼攝取。社會教導我們，要怎麼去營求，怎麼吃得營養，怎麼去補。唯恐自己比別人少一塊，少一點。這是不對的。眞正對我們有益的，是怎麼捨去，愈重的病患，愈要生食。

重病的人，應該很快速地至少在飲食中有百分之五十以上的生食。

★有進有出

一般人家講營養的時候，都是說：你吃進去多少營養？你有沒有聽過，哪一位營養師或醫師告訴你：你怎麼樣把身體裡頭的毒素排出來？他只告訴你補的方法，卻沒有告訴你排的方法，所以這不是妙法。

眞正的妙法，是有進有出。尤其我們，長期一直都是講取得、攝取，完全忽視怎麼樣把我們身上不好不淨的東西，設法排除出去，因此更需要下功夫。

排毒的推動力，就靠生食。

布施是六度第一。大布施就是大捨。捨盡一切，你就擁有一切。捨到你把所有的煩惱，所有的擔憂都除去，我們的心就變得很光明，很清淨。這個時候，你就招回萬德萬能了，而且什麼東西你都擁有了。這種擁有，不會有負擔。

一九九六年八月，我參加達賴喇嘛在澳洲舉行的時輪金剛傳法活動，他有一個開示是：我們要發菩提心，我們要有捨離的心，要有能夠看透看破的智慧，否則我的悲心，是小慈悲、小心眼所做的事情。因爲我們帶了沾染的心：這個功德是我做的，唯恐人家沒有把我們提上一筆。

就好像照像一樣，當你看一張照片時，第一個看誰？都是找自己在哪裡啊！這就是我們的心。永遠沒有辦法忘掉「我的存在」。但是，這些「我」，就是讓我們一再一再變成有病、變成低能，能量發揮不出來、才智發揮不出來。所以，要慢慢懂得捨，捨去你身上多年來的污穢改吃生食。這樣不但能獲取好的能量，而且能把不好的東西捨離，得到淨化。

★生食淨化

生食除了芽菜之外，還需要綠色的葉菜。

如果孩子一開始不習慣生食，可以打成一杯蔬果汁。如果是癌症病人，至少要六百公克至一公斤的生菜打成五百西西至一千西西，一天兩次三次，非常有效果。一般人早餐改做這種蔬菜汁（視需要加堅果），就可以淨化。大家以生菜、水果當早餐，就是一天淨化的開始。

我建議大家喝排毒水。用小麥草汁（或蔬菜汁，或用一茶匙大麥苗粉）和一茶匙糖蜜，加入三百西西冷開水調勻。排毒水早晚喝一杯，非常方便，即使外出也不必爲了覓食而煩惱。

★熟食的缺點

現代的飲食是熟食。熟食的缺點就是食物遇高溫會被破壞，例如酵素（Enzyme）。酵素是很小的氨基酸組織，是一種很小分子的蛋白質，這些東西遇熱後非常不安定，活性就被破壞了。

另外，還有一些微量的元素，遇高溫後蛋白質和脂肪也會被破壞。脂肪遇高溫並不穩定，它溶解時要靠脂肪酵素（Lipase）。生食的脂肪酵素含量很高，煮熟之後脂肪酶就下降到很低，所以脂肪類的食物熟食就很不容易消化分解。

脂肪遇高溫後，它的排列會轉變，本來是彎曲纏繞型，加溫後就變爲直線型。彎曲型是活動的，直線型就不活動了，不活動就會累積成爲身上的脂肪組織。

所以油經過高溫後就不能分解，形成沒有活動力的脂肪，造成我們身體肥胖。若是有活動力的脂肪，不但不會對身體有害，反而能替我們做清除，所以脂肪也有善惡之別。

人的健康與否就看此種脂肪的比例，所以到醫院做檢查時，醫師會檢查脂肪，高濃度脂肪是善的，低濃度脂肪是惡的，如果惡的脂肪比善的脂肪多，我們就容易發生血管硬化、血管病變，甚至癌化、老化、退化。由此可知，熟食對食物的破壞是無法彌補的。

下過雨之後，天空有彩虹，小孩子都知道它是紅橙黃綠藍靛紫所組成的。世間有很多食物，每一種食物有不同的顏色，在顏色裡就有神奇的效果，我們不要糟蹋它，讓它全部煮成一鍋，變成暗淡的色彩，失去原有顏色。

每一顆植物在大自然裡，往下吸收土壤精華，往上接觸陽光照射，當它吸收太陽光中一個特定的頻率，才散發出這種色彩。所以不同顏色有不同的頻率，頻率就是一種能量的轉化，這些能量從顏色裡面能夠得到。因此健康是回到我們跟大地之母——地球的牽連、溝通、連繫，透過許多不同的顏色，讓我們的身體多樣化、彩色化（Colorful），有豐沛的生命力。這種飲食的方式也就是「彩虹觀」的飲食（Rainbow Diet）。

印度醫學著重心理、精神的層次，認為人有七輪，配合起來也就是紅、橙、黃、綠、藍、靛、紫。它以顏色來幫忙我們恢復心性和身體。舉個例子說，顏色從下到上，腎和生殖系統是「紅、橙」色，肚臍是「黃」色，心臟是「綠」色，喉頭是「藍」色，白毛之間是「靛」色，頂端是「紫」色。

所以早上起來吃紅、橙、黃色，到了中午一定要以綠色為導向，綠

主要輪與身體有關部位
Major Chakras & Area of the Body They Nourish

光輪Chakra	輪	顏色	腺體	身體有關部位
7-Crown	頂　輪	墨藍色	松果腺	上腦、右眼
6-Head	天目輪	紫紅色	腦下垂體	下腦、左眼、耳、鼻、神經系統
5-Throat	喉　輪	天藍色	甲狀腺	支氣管、聲帶、肺、食道
4-Heart	心　輪	綠　色	胸腺	心、血、循環系統
3-Solar Plexus	臍　輪	黃　色	胰臟	胃、肝、膽、神經系統
2-Sacral	丹田輪	橘紅色	生殖系	生殖系統
1-Base	海底輪	紅　色	腎上腺	脊椎、腎

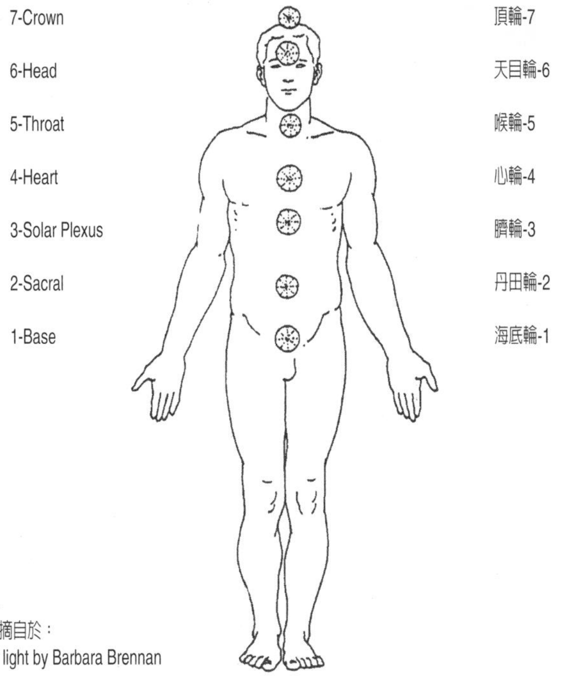

部分資料摘自於：
Hands of light by Barbara Brennan

色是一種康復的能力，心臟最需要的就是綠色，而且綠色的東西能打通血管，開拓心胸，因此到了中餐，我們要注意心臟的部分，此時我們最需的是開心。

因此食物不是那麼簡單的，它不只是一個沒有生命的東西，從外表的顏色到裡面的結構，不管從科學性分析，從心性了解，從大自然中默默體會，都能夠逐漸了解它對我們人類所賦予的癒合力、生命力與智慧，它因吸收太陽的能量而轉化成不同的顏色。

熟食會把大自然原本的善意、美意、本色給破壞，破壞之後我們得不到百分之百好的東西。

生食不只能解毒、去病、產生能量，還能打通關卡，例如痠、痛、麻木、腫瘤、阻塞不通等都很容易打通，更能打開我們心理的、靈性的環節。

我有一位才認識不久的病人，他患了精神分裂症，在療養院中住了五年。有一天他突然覺得很想出院，不要再住下去了。他覺得五年來像住在黑牢中，只是餵食、吃藥，做一些無趣的、沒有生命力的事。

他看那些住了二、三十年的精神病人每一個都退化了；七十歲的人，腦子竟退化成為三歲小孩般，連大小便都不會自理。所以五年後，他醒悟了，自動要離開。

他知道他的病，吃藥並不能解決。由於他以前是學檢驗的，出院後，他想從「飲食」上下手，但不是現代飲食，而是用他自己的方法克服現代的各種加工食物，將飲食粗糙化、自然化，就這樣他改變了自己，也救了自己的精神分裂症。

如今他七十多歲了，看了我的書之後來找我。他告訴我，這麼多年來他覺得很孤單，以為只有他一個人奮鬥，沒想到有一位醫師所講的觀念和他非常相符。他只是來告訴我——透過飲食打通了心理上、靈性上已經身心分離的分裂症。

所以，生食有絕對的利益，能將我們身體腐敗的東西透過解毒排除出去。生食的生化運作非常健全，我們不夠的東西透過自然的方法就會自然地補足，可以治癒很多疾病，例如重症肌無力、乾眼症、胃腸病等；其它還有背痛，甚至嚴重的尿毒症等。

而得到尿毒症，腎臟不好的病人，在此我還是要再次強調：一定要生食，不要只寄望洗腎。

如果你有朋友、家人在洗腎，醫師一定告訴你：「不能生食」。這是多麼的錯誤。

洗腎的病人更要生食；尿毒症、腎臟病的患者更要生食，因爲透過生食會使洗腎時無法洗出的毒素，都能排除出去。

已經洗腎多年的人，還是得繼續，因爲腎臟已經萎縮了，但是其它部分要靠生食去維持。從這裡，就走入了另外一個主題——「生食排毒」。

剛開始進入這種飲食方式時，會令人有飢腸轆轆的感覺，好像都沒有吃飽。爲什麼？因爲以前我們總是撐得飽飽的，就好像過去是一位苦力，天天要提一百斤的重物，今天突然有了皇帝詔命，不用提東西，只要坐在龍椅上，反而令我們覺得不自在，不知那一百斤的東西到何處了？有一種空虛感。

當我們勞累我們的胃腸，長達三、四、五十年之後，調整飲食習慣，你反而會覺得空空的，但只要幾個月，或幾個星期，慢慢適應就好了，一切都只是一種感受而已，因此要把過去的那種感官看破。

排毒是一個歷程，毒素透過有生命力的東西，會溶解，濃度高的會往濃度低的地方移動，移動的過程就是「排毒」。

也就是說，如果你現在攝取進來的東西已經減毒，身上本有的毒素相對地就很高，濃度高的往濃度低的地方移動後，毒素的位置會做轉變。

如果天天還吃肉、奶、蛋、魚這些很高毒素的人，他就不會有排毒的效果，因爲他攝取的毒素遠比他原有的還多。所以，如果你有排毒的經驗，在這歷程中雖然會感到很痛苦，但你應該覺得欣喜。

排毒是生食或清淨飲食之後一定會發生的，只是程度的輕重、時間的長短。在排毒過程中，最重要的就是信心，這是鍛鍊我們的安忍力，看我們對自己信不信得過？所以我們在排毒時，就像是脫胎換骨一樣，一層一層地蛻去我這一生吃進來的毒素。

有人問：「我到底要歷經多久的排毒？」這沒有一個定數，總是一次又一次，一直到比較乾淨爲止。

通常排毒的地方都是在我們最軟弱的地方，哪裡是病兆就在哪裡排毒。

另外就是七竅、口、鼻、耳、前陰（陰道）、後陰（肛門）等。

有些人排毒是拉的多、口水、鼻涕、分泌物、眼屎、耳屎特別多，甚至皮膚流湯流膿的也有。這些都不奇怪，是正常的。

而這跟患病不一樣。疾病是愈病愈苦，排毒則愈排愈樂，一次一次脫殼變化。我們在這個歷程當中要承受這個苦。我們有身體的痛、身體的病應該更是要當下用功，不以爲苦。有病苦正好養我們的功夫，何況生食排毒的歷程這種苦是有意義的苦，不是無益苦行，我們應該安然接受。

有人問：「排毒」與「疾病」的差異。我想先問問大家：「什麼是病？」傷風感冒是病？肌肉痠痛是病？高血壓是病？糖尿病是病？癌症是病？到底什麼是病？每次我們一有傷風感冒時，就要趕快治療這個「病」。

其實我們可以好好想一想：「同樣一陣風吹進來，爲什麼別人沒有感冒？這跟風有關係嗎？」是風中帶來毒呢？還是我身上自腐而生毒？其實，主要還是自己身上的臭穢，邪毒太多，風吹、氣過、寒來、溼重，只是外在的誘餌把身體內在的毒誘發出來而已，表示我們身體這個臭皮囊已經堆積了太多的毒，因此風一吹，我們的毒就宣洩在外了。

這時我們說它是「病」，其實也只是我們身上毒的外散而已。只可惜現代人看不破這一層，以爲這就是疾病。因此到醫院，讓醫生開藥方吃藥，把要發出來的毒素再趕回身體裡。然而吃了藥，下一陣風吹來，又開始感冒了。這是非常不明智的做法。

如果我們平常累積時時刻刻、綿綿密密的排毒能力，身體就會逐漸淨化。只要你步上這樣的飲食做法，你自己可以勘驗，減少感冒，甚至不再跟隨流行了。許多過去特別軟弱的地方，也就慢慢不藥而癒了。這就要靠個人去體會了。

當然，如果你什麼都沒有發生，沒有像別人一樣有排毒現象，也沒有在皮膚上排毒，只是覺得右上腹部很脹，這是肝的排毒。肝是很大的排毒處所，所以有時排毒強的時候，肚子會發脹，肝曲區會很疼痛，有時小便味道會很不好，這都是在排毒歷程中會發生的。

對於疾病跟排毒，我們都不要怒目相視。就像魔跟佛，誰是魔？誰是佛？一心是佛，多心是魔，我們多心多慮就著魔受病了。只要深信、堅決，要把病毒導引而出，而不是包囊在內，如果包囊在內就會得到腫瘤或一些難治療的重症。排毒症狀如過眼雲煙，過去之後我們的身體能量就會提昇得更高。

我有一位四十多歲的中年病人，他在建築界工作，因為雙腳髖關節壞死，生活很萎靡。由於關節壞死要換兩個人工關節，在換關節時意外地發現肝有個很大的腫瘤，約八公分大，因此醫生對他說：「你考慮考慮還要不要換？而八公分大的腫瘤頂多活不過半年，就算換了關節所剩的日子也無多，並沒有手術的必要。」他說：「你儘管幫我換，換了我還可以走路，其它的我自會找尋方法。」

他是很有覺醒的人，離開醫院後，他想其實世界上沒有什麼是了無希望的事，只要有信心、有夢想存在，就可以往前邁進。他知道自己會得肝病是因爲生活萎靡，肉食、海鮮、酒的緣故，所以自從離開醫院後，他就完全斷除，而且百分之八十以上生食。

兩年後他來找我，他說：「姜醫師，你不認得我，但我認識你。」就把這其中原委說給我聽。並且說：「我實在不覺得我是帶有八公分腫瘤的肝癌病人，因爲自始至終我覺得我活得還好。」「那你今天來找我做什麼？」「我今天是鼓足了勇氣想要揭開這個面紗。兩年來我都不敢到醫院，今天來找你是因爲我相信妳。請告訴我，我現在的眞實狀況。」「那很簡單，我們就做檢查。」

檢查發現腫瘤已消失了！他和妻子倆相擁而泣，兩年來的生活就像是個苦行僧，但得到了很好的回報——身體健康了。所以，有什麼不能克服的？這是活生生的例子！他也如此幫忙很多人，教導別人回歸清淨飲食，因此很多病痛就自然化解了。

斷食

蘇聯有一個醫學中心，針對一些精神病患做研究。那些精神病人患有失眠、躁鬱、憂慮、被害妄想、暴力等症狀，不過將他們的飲食習慣改變爲素食、生食，甚至擇日有計畫性的斷食後，百分之六十以上在行爲和症狀上都不藥而癒。這是醫學上很重要的一個事實。

斷食並不是不吃東西，「斷」是中斷的意思。

斷食是中斷我們平日不正確的飲食習慣。

★斷食是什麼？

1 醫學上狹隘的斷食

正規的醫院也使用斷食。通常大家都知道，到醫院做身體檢查，或抽血時，醫生會說不能吃東西，所以這也是斷食的經驗，大概需要八小時左右。

或者做大型手術也需要斷食，甚至手術時還要做很徹底的灌腸。還有發生很危急的狀況，例如胃破洞、腸穿孔，這些急症時也必須斷食。有的需要很久，到腸子蠕動了才能開始吃東西。

胰臟炎、膽囊炎等現代疾病，可能是因爲高脂類食物吃多，突然發炎的，這些也會被設限斷食，而且要斷食好幾天。

這是醫學上醫生治療危急或檢查時的情形，但在正統教科書中，斷食並不被正式應用。

2民間錯誤的斷食

現在一般人講斷食都是門外漢，把它當做一種小技巧，或商人賺錢的工具，他們賣一點斷食漿或湯飲斂財，傷害大眾的生命。

其實斷食所使用的材料，都是取自於大自然的，例如煮過的開水、自己調製的米湯等，根本不需要花費成千上萬的金錢。這些重要的觀念應該要有，因爲斷食是正確的事，但被刻意扭曲之後，就與原來很深遠的意義和內涵愈差愈遠。

3智者的斷食

歷史上很多大思想家、大哲學家、宗教家、藝術家、文學家如蘇格拉底、柏拉圖……當他們經歷思想上的瓶頸時，總是會透過斷食，所以斷食絕對不是只有治身體的病而已，它還能夠突破我們思想的病或思想的瓶頸，跨越身體、心理以及高層次的靈性。

4動物本能的斷食

動物生病時，或許組織社群裡也有醫生，只是人類不知道而已，可是牠們都有一個共同的方法，不論獅子、老虎或鳥類，生病的時候總是要到很寧靜的地方，把自己身體全然的放鬆下來，並躺在有一點陽光的地方，曬曬太陽，不吃不喝，這就是動物在進行斷食。

不消幾日之後，牠又能精神奕奕地走出靜僻的山林，神龍活現。所以，動物靠自己就可以度過疾病，這麼說我們不如動物啊！

5大地週期的斷食

不只是動物有這種現象，自然界也是如此，一年有春夏秋冬四時的運轉。春生夏長秋收冬藏。在冬藏時期，很多動、植物也都進入休眠狀態，這就是大地的斷食。而初春來臨，就綻放小葉子、小苗芽，萬物欣欣向榮。

因此沒有冬藏，哪來的春生，我們的身體也理當如此，天天應做，週週應做，月月應做，年年應做。

★斷食前的準備

1學習各項預備知識

對於斷食的實踐方法、時間、次數、次第、什麼時候會發生危險、個別的狀態要採用哪一種方法、什麼時候終止、如何復食、影響斷食成敗的原因、斷食的可能危險等問題，我們要好好的思惟。

斷食的方法很多，隨各人的差異。因此要用多少量、多少時間、如何安排都是千變萬化，並沒有一個定則，只要守住原則就可以了。

但是，千萬不要別有用心，學會了之後就來辦個斷食營。因爲只有自己知道懂得多少，對於別人的生命安全及身心狀況是否有把握？這件事情非常重要。

斷食是自我及大眾往前邁進的健康之道。我們不要被人利用，也不要用做圖利自己、傷害別人的方向。

2次第減食進入斷食

進入斷食前一定要有所準備，也就是所謂的「次第」。

第一步，要有一個覺醒的飲食觀，對於吃進去的東西要愼重選擇，從質和量改變、淨化和學習。

首先要從「肉食」改成「奶蛋素」，進而知道奶、蛋都殘存毒素，會從小一直傷害到老。並且了解二十世紀的三大毒害是肉、蛋、奶，然後再把它們去除，過度到素食的階段。進而再從傳統素食進入到清淨的素食，也就是「粗食」，一切不加工，吃粗菜淡飯，味道清淡，取材自然。

再來則是「生熟參半」，這對於我們身體的淨化有著不可思議的力量。

斷食並非絕食，而是比我們平日飲食在量、質和次數上都要還少。

透過斷食，我們在身體裡面製造一個燃燒的垃圾場，將體內的垃圾透過自我燃燒把它化解掉，並利用種種方式將它溶釋出來。

未來關於斷食這個部分，本系列會有專書，詳細介紹。

健康的實踐

健康是可以自己實踐，
自己達成的，
而且還可以造福很多人，
後續的力量不可限量……

健康需要自我覺察與評估

自我覺察評量表

首先很簡單的記錄自己的體重、血壓、心跳，唾液、尿液的酸鹼值。透過實際檢測就是對自己很好的評估，評估自己是不是正處於酸質化的體質？有沒有很大的進步？這是自己可以體會的。

由唾液及尿液的酸鹼值(ph值)檢測，考核我們是否處於健康狀態？可依下表自我考察。

★健康平衡的自我檢查指標

1體能極好

清晨且未進食前	進食後	結果
唾液檢查		
6.8～7.5	>7.2	健康
5.5～5.8	不會上升	酸性化
尿液檢查(蒐集24小時小便)		
肉食或奶素	6.3～6.9	健康
素食且生食	6.3～7.2	健康
	<5.8	太酸性
	>7.8	太鹼性

2 神經肌肉系統相當平靜

3 腸道排泄規律，消化功能極好

4 不易感冒傷風

5 身心靈性整體保持生命活力且清晰洞見

★身體太過酸性的警示病癥有哪些？

1 思考遲鈍，情緒不穩，焦慮不安

2 疲倦

3 肌肉僵硬，抽搐，痙攣，頭痛

4 頸、肩、下背疼痛，關節痠痛，骨質疏鬆

5 消化障礙，胸悶，胸痛

6 經常感染，發炎

十項原則

★維持理想體重

從體重可以了解我們攝取的鹽分是不是太高，鹽分若攝取稍微高一點，體重會立即增加零點五至一公斤。體重也可以反應廢物的排除，如果大便解不好，體重馬上回升。所以應該要勤量體重，每天記錄。

在力行健康自然飲食的時候，開始時絕對會先瘦下來，這是正常的，體重本來不足的人可能會更瘦，別害怕，這個步驟是清除很多身上的廢物，是清除毒素的現象。

排毒過去之後，如果你繼續力行，就會達到理想的狀況：不足的會逐漸累積增重，太胖的會一直減輕體重，最後則是達到理想的體重。

★不可吃消夜

到了晚上八點之後，生理功能已經開始沈寂下來，除非我們是夜行動物，例如老鼠，牠的生理狀況與人不一樣。

假使我們要違背人的生理狀況向夜行動物學習，就會傷害我們的生命之源。

★晚餐減量減食

我們吃過晚餐之後，幾個小時就要睡覺，所有的運作都停頓下來，如果吃多了東西，第二天早上起床會覺得口苦腹脹，很不舒服。

夜間吃得太過度，不容易消化，所以晚餐應該減量，食物的種類也應該減到比較單純好消化。這樣晚上可以不必吃安眠藥，不會做噩夢，而得到很好的休息，甚至你的睡眠時間可以縮短，這些都是晚餐不宜攝取太多所換來的利益。

★平常不吃甜點零食

平常非進食的時間不再吃點心、餐點、餅乾、點心、零嘴。這些東西會讓我們的胰臟疲乏，胃腸消化不好。

不停吃東西的人，仔細看他的一生，他很容易產生「早衰」的現象，很少能夠長壽。長壽的人的養生法總是很有規律，看起來好像很嚴謹，但是在這嚴謹之中就有它的可貴性。

★避免高壓力食物

★多攝取高纖維食物

★減少鹽分、人工添加劑

現在社會有太多的人工添加劑，在此列舉八大類食物的添加劑，應該避免，並提高警覺：

1加味劑：例如香草味、蘋果味、草莓味。

2加硬劑：本來軟軟的，加了它可以定型凝固。

3安定劑。

4乳化劑。

5加酸劑：譬如加了G檸檬酸，或其它特殊的酸，讓本來甜的食物變成酸味。

6添色劑（著色劑）：例如紅色二號、黃色四號。

7防腐劑：它是很可怕的東西。有的食品會記載在安全範圍以內添加，但不管安不安全，我們吃了很多添加防腐劑的東西，累積下來就不再是安全的了。

防腐劑通常放在肉類食品中，例如香腸、火腿。有的商品不說是防腐劑，改個名稱叫做「乾燥劑」。防腐劑或乾燥劑都是亞硝酸，亞硝酸是一種致癌物。我們要抗拒亞硝酸的迫害，必須吃大量的維生素C，或攝取大量無農藥的生鮮蔬果。

例如，木瓜或香蕉如果產量過多，有的會拿來製成水果乾，但乾燥的過程要用二氧化硫。二氧化硫就是乾燥劑，也是防腐劑。

這些水果乾不是原來食物的狀態，都是經過改裝的，不只加了防腐劑，還添加糖分、糖霜、化工的代用糖，因此乾燥的芒果乾很好吃，很甜，小孩子很喜歡，不過這會給我們帶來很多的慢性疾病。

8抗氧化劑：這個我們也經常看到，它也是一種致癌物。

另外，味素、精糖、精鹽，它們比八大類可怕的食物添加劑還要厲害，也是不容忽視的。

1味素（Mono Sodium Glutamate，簡稱MSG）。從來沒吃過味素的人一接觸到味素，首先的反應是舌頭麻麻、口渴、想睡覺。本來中午不必午睡的，吃了就想要午睡，渾沌、糊塗、疲累、懶惰、腸胃不好。嚴重時，小孩子的近視、腦神經的退化都跟味素有著密不可分的關係。

2精糖與精鹽。應該取用自然的調味料，像九層塔、香菜、茴香、八角、辣椒，或是草藥裡天然的草本或木本。千萬不要買化學調味料，因爲那些都是加了前述的八種添加物混合而成，吃起來香噴噴的，顏色漂亮，味道又好，但是很多食物的本味卻消失掉了。

★避免醃、烤、炸、燻的烹調法

經過油去炸、煎、烤、燻的東西都不好。油在高溫之下會變性，變性使油對我們的血管系統，乃至於所有細微的血管都會造成傷害，甚至還會造成癌病變。

食物在高溫之下也會變質，失去水溶性的礦物質和維生素，這樣就把原來優良的部分全部抹煞掉了，失去了應有的利益，等於吃進了一堆廢物一樣，太可惜了。如果在家裡不吃，到外面去買，也是不對的。

★避免碳酸飲料

飲料最好的是開水，而淡淡的清茶、礦泉水也可以。

所有的易開罐，都是碳酸飲料。從可樂到運動飲料都含有濃度不等的咖啡因，相當時日，將因爲累積下來的咖啡因而中毒，對細微神經和腦力發展都有很大的傷害。

★減少乳類製品、肉類及酸性食物的攝取

前面已談過牛奶眞正的事實是什麼，抉擇還是在你自己。

攝食原則

一、肉食不如素食

二、熟食不如生食

三、預防勝於治療

四、真正飢餓時才吃

進食有一個很重要的原則，是要透過對自己生理狀況的認知，確實肚子餓才吃。不是客觀因素、心理因素、父母因素或家庭因素催促我們進食。

五、食用先後次序

★先吃最易消化的食物

我們要先把口腔轉成鹼性，好儲備對澱粉類的消化。

先攝取芽菜、蔬菜，這樣既容易消化，又能夠把口腔立即轉成鹼性。之後再吃飯或吃麵，細嚼慢嚥，透過澱粉酶把澱粉分解成雙醣，進入我們的胃。這個原則要把握好。

★不喝開水不配大量的湯

不要在餐桌上放開水，或煮一鍋湯給家人吃。

因爲消化液有固定的量，一開始就喝一碗湯，把所有的消化液都稀釋掉了，怎麼消化。所以飯前不喝大量的湯。

有些人不喝湯會口渴，那是因爲攝取的食物裡加了太多的添加劑或味素，如果是以自然的方法調配，絕對不會攝取太多的湯或太多的水，那就很容易消化了。我們頂多在用餐完畢拿湯菜的菜湯喝一、兩匙就好。

六、特殊禁忌

★禁菸禁酒

爲了防止心臟病、避免癌症，禁菸禁酒是必須要警覺的。

抽菸破壞了大眾的健康。一個人不吸菸，同時勸人家不抽菸，就是在做好事，是在爲大眾的健康著想。

★遠離放射線

什麼是放射線？廣義來說，就是有很多不正常的波，比如微波爐所放出來的波，大型電腦放出的波；凡是磁場很大的都會干擾人。

我從來不看電視，一看電視就會睡著，表示電視對我來說是一個很大的能量干擾。習慣看電視的人要盡量減少次數及時間，這樣精神會好很多，因爲它本身會干擾我們。

大家最好要有預防的觀念，希望能多吃味噌，由於味噌是豆類發酵的，能夠幫忙我們去除放射物質。另外還有很重要的東西：海中的植物——海帶、紫菜，大家應該多多攝取。

★改造環境

在小環境與大環境之間，怎麼樣才能夠得到協調？有時候大環境的力量太大，我們動搖不了，因此我們要透過運動，不管是靜態的或是動態的，培養自己的體能，將我們整體力量提昇，面對惡劣環境時才能撐得住。

再進一步，要發揮我們對人、事、物的關懷，這也是很重要的。

★避免荷爾蒙與藥物

不管中藥、西藥、補藥、草藥，全部都是毒藥，大家要好好謹記在心。

藥物本身的重金屬含量，在在破壞我們的肝，破壞我們的腎。我們用不著攝取這些，以食物調適我們自己的健康，才是最保險的。

了解了這些之後，你看看這是不是我們健康的良方，自己可以走出去，自己可以實踐，自己可以達成，而且還可以吸附很多人，後續的力量更不可限量。

二十一世紀的醫學應該是如此，而不是有病治病，開發更多的藥物，送給病人更多的毒藥。

未來應該是要整合過去，整合現在，整合東方、西方，凝聚身體、心理、靈性各方面的醫生，成爲一個健康的醫療保護者、鞏固者。

邁向健康大未來

二十一世紀的營養觀有個特點，不再是卡路里的計算，不再以熱量來評估營養夠不夠，而是個體如何有效運用食物，也就是從量化進入質化，再到淨化。

5個健康優質的叮嚀

- 讓我們的身體不要日漸酸性化。
- 不可吃消夜。
- 減少鹽分、人工添加劑。
- 避免醃、烤、炸、燻的烹調法。
- 避免碳酸飲料。

★身體就是醫生；健康是一條可以自覺、自察、自測、自療的大道。

健康是我們的選擇

健康的維護除了不斷增添醫療設備外，應從教育，杜絕不當飲食習慣，樹立正確觀念及改善生活環境，這些根本的地方著手。

5個健康優質的叮嚀

- 全穀類提供飢餓時的滿足感，味覺上的豐富感，以及能量和精力，它並能增強我們的記憶，使思考審慎周密。
- 有缺鐵性貧血的人，要多吃綠色蔬菜。
- 多吃蔬菜可以回春，能夠再生。
- 通常水果都是生吃，而且要吃成熟的。
- 海帶、紫菜、深海綠藻都含有高單位的礦物質，對我們身體的偏差有很好的改善。

★飲食改革，勢在必行。

健康開步走

新健康觀離不開愛惜的觀點。二十世紀是消費的、浪費的世紀，二十一世紀是愛惜的、惜福的世紀，一切東西要再生、要珍惜。

痊癒癌症的治療計畫

- 生食飲食觀的建立
- 內外毒素清除法的實踐
- 支持力量（親人、朋友）的重要
- 練功運動，走向大自然
- 創造性的思想及靜坐
- 臨終前的準備及面對

★從飲食、生活、生命來省察，便可化解癌症這個人類的頭號殺手。

國家圖書館出版品預行編目資料

這樣吃最健康：／姜淑惠著. --初版. --臺北市：圓神，1999［民88］
面；　公分. --　(健康之道；2)

ISBN 957-607-364-2 (平裝)

1. 飲食 2. 營養 3. 健康法

411.3　　88003816

ISBN 957-607-364-2

圓神出版社
YUAN-SHEN PRESS

◎健康之道❷

這樣吃最健康

作者／姜淑惠
發行人／曹又方
出版者／圓神出版社有限公司
地址／台北市南京東路四段50號6F之1
電話／二五七九六六〇〇・二五七九八八〇〇
傳眞／二五七九〇三三八・二五七七三二二〇
郵撥帳號／一八五九八七一二　圓神出版社有限公司
登記證／行政院新聞局局版台業字第六三六九號
企畫編輯／賴眞眞
責任編輯／周文玲
封面設計／黃昭文
美術編輯／王祥樺
校對／姜淑惠・吳美瑩・周文玲
法律顧問／蕭雄淋
印刷／祥峯印刷廠
一九九九年五月　初版
一九九九年十一月　十四刷

●定價190元

Printed in Taiwan

廣 告 回 函
北區郵政管理局登記 證北臺字1713號
免 貼 郵 票

105
台北市南京東路四段50號6樓之一

圓神、方智出版社 收

寄件人：

地址： 市 縣 鄉鎮 市 （請用阿拉伯數字書寫郵遞區號）

路（街） 段 巷 弄 號 樓

電話：（宅） （公）

圓神、方智出版社——讀者服務卡

閱讀時光，無限美好。

謝謝您也歡迎您加入我們！爲了提供您更好的服務，**我們將不定期寄給您最新出版訊息、優惠通知及活動消息**，但是要先麻煩您詳細填寫本服務卡並寄回本公司（免貼郵票）。

＊您購買的書名：______________________

＊購自何處：　　　　市（縣）　　　　書店

＊您的性別：□男　□女　　婚姻：□已婚　□單身

＊生日：　　年　　月　　日

＊您的職業：□①製造　□②行銷　□③金融　□④資訊　□⑤學生
□⑥傳播　□⑦自由　□⑧服務　□⑨軍警　□⑩公
□⑪教　□⑫其他____

＊您平均一年購書：□①5本以下　□②5-10本　□③10-20本
□④20-30本　□⑤30本以上

＊您從何得知本書消息？
□①逛書店　□②報紙廣告　□③親友介紹　□④廣告信函
□⑤廣播節目　□⑥電視節目　□⑦書評　□⑧其他____

＊您通常以何種方式購書？
□①逛書店　□②劃撥郵購　□③電話訂購　□④傳真訂購
□⑤團體訂購　□⑥銷售人員推薦　□⑦信用卡　□⑧其他____

＊您希望我們爲您出版哪類書籍？
□①文學　□②普通科學　□③財經　□④行銷　□⑤管理
□⑥心理　□⑦健康　□⑧傳記　□⑨婦女叢書　□⑩小說
□⑪休閒嗜好　□⑫旅遊　□⑬家庭百科　□⑭其他_____

給我們的建議：

圓神出版社　劃撥：18598712　帳戶：圓神出版社有限公司
方智出版社　劃撥：13633081　帳戶：方智出版社股份有限公司
電話：(02)2579-6600　傳真：(02)2577-3220